LAISSE COURIR TA PLUME…
de Jacques Ferron
est le quatre-vingt-deuxième ouvrage
publié chez
LANCTÔT ÉDITEUR
et le troisième de la collection
«Cahiers Jacques-Ferron».

LAISSE COURIR TA PLUME...
Lettres à ses sœurs
(1933-1945)

autre ouvrage paru dans la collection
« Cahiers Jacques-Ferron »

Jacques Ferron, *Papiers intimes. Fragments d'un roman familial :
lettres, historiettes et autres textes*, édition préparée et commentée par Ginette Michaud et Patrick Poirier, cahiers n°s 1-2,
1997.

Jacques Ferron

LAISSE COURIR TA PLUME…
Lettres à ses sœurs
(1933-1945)

Édition préparée par

Marcel Olscamp

Présentation de Lucie Joubert

LANCTÔT
ÉDITEUR

LANCTÔT ÉDITEUR
1660 A, avenue Ducharme
Outremont, Québec
H2V 1G7
Tél.: (514) 270.6303
Téléc.: (514) 273.9608
Adresse électronique: lanedit@total.net
Site Internet: http://ww.total.net/~lanedit/

Illustration de la couverture:
Marcelle Ferron, *Autoportrait*, huile, circa 1955

Maquette de la couverture:
Stéphane Gaulin

Composition et montage:
Édiscript enr.

Distribution:
Prologue
Tél.: (450) 434.0306 ou 1.800.363.2864
Téléc.: (450) 434.2627 ou 1.800.361.8088

En Europe:
Librairie du Québec
30, rue Gay-Lussac
75005 Paris
France
Téléc.: 43 54 39 15

Nous remercions le Conseil des arts du Canada de l'aide accordée à notre programme
de publication. Nous remercions également la SODEC, du ministère de la Culture et
des Communications du Québec, de son soutien.

Avant-propos

Les lettres inédites[1] qui suivent ont été rédigées entre 1933 et 1945, soit entre le moment où Jacques Ferron entreprend son cours classique au Collège Jean-de-Brébeuf et celui où il s'apprête à quitter l'Université Laval à la fin de ses études de médecine. La majorité d'entre elles — tantôt écrites individuellement à chacune des trois sœurs de l'écrivain, tantôt adressées collectivement à «Mes chères petites sœurs» — datent d'une époque où Madeleine, Marcelle et Thérèse étaient pensionnaires au couvent des sœurs de Sainte-Anne, à Lachine. Les manuscrits ont été recueillis par l'aînée, Madeleine, et sont aujourd'hui conservés dans le Fonds Madeleine-Ferron de la Bibliothèque nationale du Québec[2]. Malheureusement, les lettres des jeunes filles — mises à part quelques brèves notes, qui se trouvent également dans le Fonds Madeleine-Ferron — ne sont pas, semble-t-il, parvenues jusqu'à nous ; il faut donc imaginer, pour cette période, les réponses que les collégiennes pouvaient adresser à ce grand frère tour à tour sentencieux, ironique et tendre[3].

---

1. Quelques extraits de ces lettres ont paru dans le cadre d'un article de Madeleine Ferron intitulé «L'écrivain» (*Littératures*, n°s 9-10, «Présence de Jacques Ferron», 1992, p. 255-259).

2. MSS 467 ; chemises n°s 003-004, 003-005 et 006-003.

3. Les lettres de Marcelle, Madeleine et Thérèse postérieures à 1946 ont cependant été conservées ; elles se trouvent dans le Fonds Jacques-Ferron de la Bibliothèque nationale (MSS 424, boîtes 10 et 11). Les lettres de Marcelle à Jacques, pour les années 1947-1949, ont paru dans la revue *Études françaises* (34 : 2/3, «L'automatisme en mouvement», automne-hiver 1998, p. 235-253). Quant à la correspondance «tripartite» entre Jacques Ferron, Madeleine Ferron et Robert Cliche, elle fera l'objet d'une autre livraison des «Cahiers Jacques-Ferron».

Ces missives, souvent rédigées au fil de la plume, sont celles d'un jeune homme en formation : il aurait été injuste de les aborder comme celles d'un auteur en pleine possession de ses moyens. J'ai choisi de les traiter avant tout comme des documents littéraires, irremplaçables certes, mais imparfaits ; c'est précisément l'un des objectifs de la présente collection, qui veut mettre en valeur les manuscrits inédits de Jacques Ferron tout en établissant clairement le statut particulier de ces écrits en regard du corpus ferronien « officiel ». Guidé par ces principes d'édition élémentaires et par la nécessité de créer des conditions de lisibilité adéquates, j'ai rectifié l'orthographe et la ponctuation des lettres quand cela s'avérait nécessaire, tout en maintenant certaines maladresses révélatrices et les « coquetteries » syntaxiques de l'élève à la recherche de son individualité. La prose de Jacques Ferron, note Jean Marcel, est « un des miracles de la langue française contemporaine[4] » ; aussi est-il particulièrement émouvant de voir ici le futur grand écrivain tâtonner, s'embarrasser à l'occasion dans ses phrases, alors même qu'il cherche à « faire littéraire » en puisant dans sa culture toute neuve.

La plupart des textes ne sont pas datés ; j'ai dû me résoudre à proposer une datation approximative, grâce aux renseignements circonstanciels contenus dans certaines lettres et à l'aide des précieux souvenirs de madame Madeleine Ferron — que je remercie de sa patiente collaboration. Malgré toute l'attention que j'ai pu donner à ce classement, on lira donc ces documents en ayant constamment à l'esprit que l'ordre pourrait en être quelque peu différent.

En ce qui concerne l'annotation, j'ai cru bon de n'ajouter que les renseignements utiles à une bonne intelligence des lettres. Pour une meilleure compréhension du contexte général, on se reportera au recueil d'entretiens du Dr Ferron avec Pierre L'Hérault, *Par la porte d'en arrière*[5], et à mon essai biographique, *Le fils du notaire*[6]. On lira aussi, avec grand profit, les *Papiers*

---

4. Jean Marcel, « La grande absence », *Lettres québécoises*, n° 39, automne 1985, p. 8.

5. Jacques Ferron et Pierre L'Hérault, *Par la porte d'en arrière. Entretiens*, avec la collaboration de Patrick Poirier pour l'établissement du texte et Marcel Olscamp pour les notes, Outremont, Lanctôt éditeur, 1997, 318 p.

6. Marcel Olscamp, *Le fils du notaire. Jacques Ferron 1921-1949. Genèse intellectuelle d'un écrivain*, Montréal, Fides, 1997, 425 p.

intimes[7], premier et second volume des «Cahiers Jacques-Ferron»: la correspondance entre le collégien et son père, de même que les écrits autobiographiques qu'on y trouve, complètent et éclairent singulièrement les soixante *Lettres à ses sœurs* que nous proposons aujourd'hui.

❏

Je remercie vivement mesdames Madeleine Lavallée-Ferron et Marie Ferron, qui ont bien voulu revoir le manuscrit du présent ouvrage et en autoriser la publication.

MARCEL OLSCAMP

7. Jacques Ferron, *Papiers intimes. Fragments d'un roman familial: lettres, historiettes et autres textes*, édition préparée et commentée par Ginette Michaud et Patrick Poirier, Outremont, Lanctôt éditeur, «Cahiers Jacques-Ferron», nᵒˢ 1-2, 1997, 444 p.

LUCIE JOUBERT

Les lettres de Jacques Ferron à ses sœurs : de la rhétorique à l'art d'écrire

Une incursion dans les lettres de Jacques Ferron à ses sœurs
Madeleine et Marcelle apparaît comme une indiscrétion
délicieuse, surtout lorsqu'on s'intéresse autant — sinon plus —
aux travaux des «filles» qu'à ceux de leur illustre frère : si les
manifestations entourant le cinquantième anniversaire de la
parution de *Refus global* ont remis à l'honneur la présence de
Marcelle[1], la peintre, on parle encore trop peu de l'œuvre de
Madeleine. Par un détour bienvenu, cette correspondance lève le
voile sur la jeunesse de l'écrivaine et sur ses premières armes en
écriture, débuts encouragés par un grand frère vigilant. Mais c'est
bien de Jacques qu'il sera question ici, dans ses rapports épistolaires avec ses sœurs cadettes entre 1933 et 1945.

Un rapide survol de ces soixante lettres permet de constater la
présence d'une voix originale et polymorphe qui, selon les circonstances, se prête à des discours distincts, convergents certes,
mais répondant aussi à des règles tacites et implicites : discours de
l'étudiant désireux de mettre en pratique une rhétorique laborieuse-
ment acquise, discours de l'écrivain qui peu à peu asservit cette
rhétorique à une fiction toujours prompte à s'insinuer dans la

---

1. Voir surtout l'essai de Patricia Smart, *Les femmes du Refus global*, Montréal,
Boréal, 1998.

lettre; discours du grand frère qui néglige la rhétorique au profit d'une écriture davantage marquée par la pédagogie et le souci, légitime mais quelquefois teinté de condescendance, d'ouvrir des horizons à ses cadettes, Madeleine surtout.

La lecture d'une correspondance implique inévitablement une perspective chronologique. Cette évidence soulève déjà un problème, la datation des lettres étant, dans la majorité des cas, partielle ou inexistante. La missive qui amorce officiellement la correspondance avec Madeleine porte ainsi la mention « 10 septembre », vraisemblablement 1933, alors que Ferron entre comme pensionnaire au Collège Jean-de-Brébeuf. Laconique, comme si elle était rédigée par un jeune homme soudain embarrassé par la liberté et l'intimité que lui offre la lettre, celle-ci fait état du quotidien de la vie de collège : « J'ai reçu ta lettre qui me peine bien, et je t'assure que je prierai bien durant notre retraite qui commencera demain. Dans la composition d'entrée en Thème latin, ayant la valeur de trois compositions, je suis arrivé premier avec 171 points sur 180[2]. » Composition d'entrée et entrée en correspondance : Ferron vit, en ce mois de septembre, deux « initiations » en écriture qui ne cesseront de s'épanouir en parallèle. L'année suivante, Ferron est âgé de treize ans et raconte :

> J'ai reçu la visite de papa aujourd'hui que [sic] tu continuais ton genre de vie de l'année passée c'est-à-dire… Tout va bien ici, santé et travail sont d'accord. J'espère que tu arrives bonne dans tes classes[3].

Ici, la fragmentation de la pensée et la maladresse grammaticale illustrent des débuts laborieux dans la voie épistolaire et rendent d'autant plus frappante l'évolution rapide de Ferron qui, à peine deux ans plus tard, s'enflamme :

> C'est assez — je cède — mais sais-tu ce qui me fait céder ? Figure-toi que je lisais les *Fables* de La Fontaine, ou plutôt je les feuilletais… oui, c'est ça, je les feuilletais.

---

2. Lettre [1] de Jacques Ferron à Madeleine Ferron, 10 septembre [1933], reproduite p. 25.

3. Lettre [2] de Jacques Ferron à Madeleine Ferron, 28 septembre 1934, reproduite p. 26.

Je tombe sur «L'alouette et ses petits...» — je m'enfonce dans ma chaise, je lis: «Ne t'attends qu'à toi seul, c'est un commun Pro-verbe»... chose qui me surprit beaucoup (car tu m'as déjà dit que je ne t'aimais pas). J'ai pensé à toi, j'ai pensé à nous qui ne nous écri-vons jamais, mais qui le désirons — pourquoi? Parce que tu te dis: «il commencera»; parce que je me dis: «elle commencera»; parce que nous nous disons: «l'autre commencera». Alors ça traîne natu-rellement. Mais ça ne traînera plus; éclairé par le bonhomme La Fontaine, l'esprit en verve, j'ai pris mon stylo, et je t'écris⁴.

On remarque maintenant une nouvelle assurance de l'écri-ture: Ferron y explore les possibilités de la ponctuation; il fait une première allusion, directe, à un auteur classique et succombe à la tentation de l'argumentation, indice d'une pensée rhétorique qui affleure; il recourt au passé simple, temps littéraire inopiné dans le discours d'un frère qui témoigne d'une certaine assimilation de l'enseignement et qui laisse soupçonner la distance qu'affiche — ou que prétend afficher — l'étudiant face à un passé d'enfant.

L'adolescent, avide de connaissances et enivré peut-être par ce nouveau pouvoir de l'écriture qu'il pressent dans l'exercice épisto-laire, se fait très vite le protecteur de sa sœur, pourtant d'une année seulement sa cadette. Cette mince différence l'autorise à dire, dans la même lettre: «c'est en faisant ton devoir le mieux possible qu'on est heureux; crois-moi, car j'ai plus vécu que toi, et je le sais par ma propre expérience⁵.» L'étude des grands principes de la rhéto-rique semble donner une importance au grand frère, qui peut gui-der, de son pensionnat, les lectures de Madeleine: «Quant à Pascal, je ne crois pas que tu puisses aimer à ton âge, ses pensées.» L'appa-rente suffisance de tels propos est battue en brèche toutefois par Ferron lui-même: «Mais je fais le pédant⁶!» s'exclame-t-il.

De fait, cette partie de la correspondance échangée pendant le séjour de Ferron à Brébeuf⁷ affirmera cette tension entre

4. Lettre [5] de Jacques Ferron à Madeleine Ferron, 20 novembre 1936, reproduite p. 29-30.
5. *Ibid.*, p. 31.
6. Lettre [6] de Jacques Ferron à Madeleine Ferron, 7 décembre 1936, reproduite p. 34.
7. Mises à part quatorze lettres, dont celle ci-haut mentionnée, qui viennent du Col-lège de Saint-Laurent, où Ferron séjourna un an à la suite de son renvoi du Collège Jean-de-Brébeuf.

l'apprenti rhétoricien, qui s'exerce aux figures de style et aux techniques d'argumentation, et le grand frère, qui se plaît à jouer les mentors mais dont le naturel revient quelquefois au galop, comme dans la phrase suivante : « tu ne me feras jamais coller que Malherbe fut poète[8]. » Curieusement, c'est à travers des ruptures de style[9] de ce genre que se renoue le lien de parenté : délesté momentanément de la contrainte rhétorique, l'échange entre le frère et les sœurs, « [chargé] de toute l'histoire de l'individu et de l'intimité familiale, [...] renvoie à un moment de rapport presque égalitaire[10] ». Dans ces moments « d'abandon », ressurgit un frère gouailleur, taquin, qui semble — admettons-le — plus authentique. Car le style de l'Épistolier[11], progressivement, imite de plus en plus étroitement celui des grands auteurs, faisant taire, pour le meilleur et pour le pire, la voix de la spontanéité. L'épisode du « maringouin », qui suggère fortement une lecture récente de Proust, témoigne de cette assimilation et de cette influence :

> Le maringouin après avoir bourdonné quelque temps se posa sur ma paupière : « devrais-je l'écraser, me disais-je ? Non, me répondis-je, il faut que tu ressentes cette sensation qu'est la piqûre d'un maringouin, la sensation éveillera en toi d'autres sensations qui lui sont liées. » [...] Donc je me laissai piquer, et la piqûre éveilla naturellement d'autres sensations, qui me faisaient revivre notre vie du lac, me la faisaient aimer, me donnaient des projets pour cet été[12].

---

8. Lettre [6] de Jacques Ferron à Madeleine Ferron, 7 décembre 1936, reproduite p. 33.

9. Traduction libre de l'expression « *clashes of style* » que j'emprunte à Wayne C. Booth dans *A Rhetoric of Irony*, Chicago et Londres, The University of Chicago Press, 1974.

10. Christine Planté, *La petite sœur de Balzac. Essai sur la femme auteur*, Paris, Éditions du Seuil, 1989.

11. Majuscule d'ironie, on l'aura compris, mais qui rend hommage tout de même à l'authenticité de Ferron, compte tenu de la différence que fait Roger Duchêne entre auteur épistolaire et épistolier dans « Réalité vécue et réussite littéraire : le statut particulier de la lettre », cité par Manon Brunet dans « La réalité de la fausse lettre : observations pour une épistémologie appliquée de l'épistolarité », *Tangence*, 45, octobre 1994, p. 26.

12. Lettre [17] de Jacques Ferron à Madeleine Ferron, [6 juin 1937], reproduite p. 49-50.

Le jeune Ferron s'efface bien vite ici devant une autorité qui se regarde écrire; la distance entre l'insouciant et le sérieux jeune homme, créée et soutenue par la rhétorique, donne au texte un quasi-statut de fausse lettre au sens où l'entend Manon Brunet: «l'intention artistique» qu'on peut déceler dans la missive éloigne en effet Ferron de «toutes les petites histoires racontées dans les lettres, où le quotidien est bien nommé et situé, [qui] servent même, de manière privilégiée, à raconter l'histoire d'une vie personnelle[13]». Dans ce cas précis, cependant, Ferron semble écrire non pas pour une publication éventuelle, mais pour un maître virtuel — qui serait appelé à évaluer une composition — dont on a l'impression de voir la silhouette, penché sur le travail de l'étudiant, lisant à mesure le fruit de ses enseignements. Si elle y perd quelque peu en authenticité, la lettre demeure toutefois pour Ferron un exercice qui l'amène lentement à circonscrire à travers l'écriture des autres sa propre voix et, d'une certaine façon, à *choisir* ses influences[14].

Une originalité importante se détache pourtant: déjà, à seize ans, Ferron manifeste des aptitudes pour l'ironie et le sous-entendu, éléments qui feront plus tard la fortune de ses contes. Témoin ce post-scriptum: «N'ai pas le livre demandé — *I am sorry*. Quant à la grippe, malgré une neuvaine au frère André, je ne l'ai pas encore[15].» On reconnaît ici une caractéristique d'écriture que Ferron n'a pas eue à chercher chez les autres, comme l'intuition d'un potentiel rhétorique bien précis déjà inscrit en lui, que la pratique stylistique lui donne la chance de raffiner. Le prouve, encore, la création du mot *forminable* par exemple[16], qui relève plus d'une carabinade d'étudiant en verve que d'une lecture strictement classique. La lettre suivante confirme d'ailleurs cette impression:

---

13. Manon Brunet, *loc. cit.*, p. 27.
14. Une lettre de 1938 fait comprendre en effet le peu de bien que Ferron pense de la littérature canadienne-française: «Et peut-être pour toi la meilleure manière d'être française c'est de rire de nos ancêtres buveurs d'alcool, de toute cette niaise littérature nationale». Lettre [26] de Jacques Ferron à Madeleine Ferron, [février 1938], reproduite p. 68. Pour une analyse de ce ressentiment, voir Marcel Olscamp, *Le fils du notaire. Jacques Ferron 1921-1949. Genèse intellectuelle d'un écrivain*, Montréal, Fides, 1997, p. 175-180.
15. Lettre [9] de Jacques Ferron à Madeleine Ferron, [janvier 1937], reproduite p. 37.
16. Lettre [43] de Jacques Ferron à ses sœurs, 1er décembre 1938, reproduite p. 99.

> Tu ne puis savoir toute la joie que m'ont causée tes bons souhaits ; tu
> es vraiment bien bonne d'avoir pensé à ton grand frère ; et grâce à toi
> (car il fait tant plaisir qu'on pense à soi), grâce à toi j'ai passé le plus
> beau jour de fête imaginable ; tant d'affections me rendent confus,
> de confusion, de joie et de reconnaissance, et je voudrais te dire tout
> cela en détail, mais les mots me manquent.
> Je connais ta réponse d'avance : « les devoirs, une grosse semaine…
> des retards… » ; je comprends, je comprends [17].

Dans cet extrait, la tournure antiphrastique, à la limite du per-
siflage, balaie les velléités intellectuelles pour faire sourdre la voix
impatiente et rancunière du frère déçu sans pour autant évacuer la
souplesse de style et le sens de la « chute » finale qui fera la fortune
des contes ferroniens. Ferron prend de plus en plus plaisir, apparemment, à jouer des structures épistolaires conventionnelles ;
quelques lettres en particulier, bâties sur un patron similaire, font
ainsi alterner les paragraphes au « vous » et au « tu », traitant
Madeleine la destinataire tantôt avec une familiarité naturelle,
tantôt avec les égards dus à une héroïne classique, mais toujours à
travers la distance de l'ironie : « vous ne m'avez regardé que deux
ou trois fois, et parlé qu'une fois et demie, et vos baisers étaient si
froids, si durs que j'ai senti mon cœur se broyer [18]. »

La disproportion entre les sentiments exprimés et la — probable — réalité ainsi que la fraction absurde de l'énoncé font res-
surgir le frère moqueur, nouveau rhétoricien, certes, mais qui use
de cette habileté technique nouvellement acquise dans cette correspondance, laquelle s'éloigne du compte rendu plus ou moins
personnel (à cause du style appris) pour devenir matière à fiction
et à fantaisie. Ainsi cette longue mise en scène contenue dans une
lettre qui date probablement de 1937 où Ferron parle d'Émile,
un compagnon de classe qui a composé des vers pour Madeleine :

> […] il a quelque talent, il faut le dire ; toutefois il se permet l'enjam-
> bement, […] ce que je condamne. Il est aussi un peu emphatique. Je
> te transcris ses vers.

---

17. Lettre [8] de Jacques Ferron à Madeleine Ferron, 22 janvier 193[7], reproduite p. 36.
18. Lettre [19] de Jacques Ferron à Madeleine Ferron, [25 octobre 1937], reproduite
p. 58.

Pour Madeleine
J'aime les désolés portiques de vos yeux,
Et j'aspire à peupler le vide de votre âme ;
Laissez-moi m'y glisser et ranimer les feux,
Et pousser les volets sur les diurnes flammes.

Ne me regardez pas avec cette hauteur !
Fermez votre paupière afin que le pauvre homme
Que je suis, ne vous blesse, et laissez votre cœur
Se détendre et s'emplir de mon pauvre amour comme

Un verre de vin ; car n'a-t-il pas été fait
Pour contenir l'amour ? Et s'il vous arrivait
De l'oublier longtemps encor dans l'armoire,
Il se briserait quand votre âme y voudrait boire[19].

Ferron menace de montrer le poème à tout Louiseville si Madeleine ne lui verse pas deux dollars. Il termine sa lettre ainsi : « Un baiser et le souhait de rêver à cet Émile que j'ai créé pour te punir[20]. » Cette supercherie, qui repose encore sur l'exercice rhétorique, affirme cependant une maîtrise presque parfaite de l'alexandrin et un contrôle plus général de ce que l'on nommera l'ironie constructionnelle : l'enjambement fustigé chez un mystérieux Émile qui n'est nul autre que lui-même et la chute ingénieuse, toujours, illustrent à quel point, paradoxalement, la rhétorique maintenant assimilée sert à l'expression d'une écriture neuve, vibrante, qui se regarde de moins en moins écrire pour tendre au contraire vers la destinataire.

Dans une lettre non datée mais sensiblement de la même période, Ferron écrit : « Quand on était ensemble, nous ne voyions que ce qui pouvait nous séparer, à présent que nous le sommes, par un juste retour, nous cherchons à nous rapprocher, car il faut un certain éloignement pour bien juger[21]. » Ce ton de la confidence, assez nouveau, leur permet à tous deux d'aborder un sujet sur lequel ils sont assez chatouilleux : l'écriture. Car Ferron mesure très

19. Lettre [10] de Jacques Ferron à Madeleine Ferron, [février 1937], reproduite p. 38.
20. *Ibid.*
21. Lettre [54] de Jacques Ferron à Madeleine Ferron, [février 1941], reproduite p. 111-112.

bien l'impact de ses sérieuses lectures sur son style. Dans une lettre d'avril 1937, il félicite Madeleine pour la qualité de sa dernière missive : « elle est mieux que de coutume, plus naturelle (tu as des progrès à faire sur ce point-là ; d'ailleurs moi autant que toi). » De part et d'autre, les susceptibilités demeurent à fleur de peau : le frère et la sœur commentent mutuellement leurs textes, ce qui ne va pas sans écorcher leur vanité respective. Ferron, selon son habitude, réagira par le biais de la rhétorique, optant pour la prosopopée qui assure une distance salvatrice à son orgueil :

> Quand j'ai raconté, ce midi, à mon écriture ce que tu en avais dit, figure-toi qu'elle s'est fâchée ; elle a protesté hautement, puis son sac à protestations vidé, elle m'a demandé de lui montrer la lettre de la demoiselle qui l'avait jugée ; je la lui montrai aussitôt — car vois-tu, je ne contrarie jamais mon écriture, moi. Front sévère, lèvres dédaigneuses, elle l'a lue tout entière ; je m'attendais à un flot de moqueries ; aussi quelle fut ma surprise de l'entendre murmurer : « Après tout, ta sœur, elle a peut-être raison ; son écriture exprime la confiance, la force, le bon sens, et moi qu'est-ce que je symbolise, une certaine vanité, de l'indolence [22].

Il semble relativement facile à Ferron de faire amende honorable devant cette critique de Madeleine dont on ne peut que supposer la teneur ici, la cadette faisant office, pour la présente étude, de cette « Autre qui atteste dans son anonymat, de l'existence de la communication, qui témoigne de ce que la parole fonctionne [23]. » C'est que le grand frère s'estime fort de ce qu'il ressent comme une nouvelle maturité : « Je me suis dégagé considérablement depuis un an, écrit-il ; je pense surtout par moi-même alors qu'auparavant j'étais écrasé sous la pensée des autres [24]. » Ce constat témoigne d'une récente lucidité face aux textes des grands auteurs qui le nourrissent non sans entraver l'expression de son originalité. À Marcelle, il résumera l'ambivalence qui sous-tend sa correspondance :

---

22. Lettre [11] de Jacques Ferron à Madeleine Ferron, 22 février 1937, reproduite p. 39.
23. Vincent Kaufmann, *L'Équivoque épistolaire*, Paris, Éditions de Minuit, p. 55.
24. Lettre [15] de Jacques Ferron à Madeleine Ferron, [mai 1937], reproduite p. 46.

Je suis toujours un peu gêné lorsque je t'écris, car je me sens tenu
d'être simple, naturel comme je le puis, et de fuir cette érudition que
j'ai acquise à la lecture [...]. Il est beaucoup plus facile de lire des
biographies, d'accumuler des fiches, de se faire un «cerveau de
papier» que de penser tout par soi-même, simplement, avec son bon
sens, sa gentillesse[25].

Cette «sagesse», toutefois, n'empêche aucunement le grand
frère de dispenser sa nouvelle philosophie à Madeleine cette fois,
avec un rien de paternalisme et la ferveur des nouveaux convertis:

Je serai franc avec toi relativement à ton article, ma petite Madeleine;
il ne vaut pas grand'chose [...]. Tu dois sentir le factice de tout cela,
de toutes tes protestations; tu reprends les lieux communs de la mauvaise littérature patriotique. [...] Il faudrait vous faire utiliser ce que
vous avez de sensé, de gentil; par exemple vous donner des sujets de
narrations tels ceux-ci: malheurs de poupée, premier voyage... etc.,
qui vous apprennent à vous connaître, à prendre conscience de vous-
mêmes. Apprenez à tout repenser par vous-mêmes; toi tu ne fais pas
cela, tu ne repenses rien par toi-même[26].

La condescendance d'un Ferron tout occupé à faire «sentir à
sa sœur combien son petit univers est restreint et dépourvu de
sens[27]» a de quoi hérisser[28]; il faut plutôt entendre la voix du
maître (au sens latin de *magister*) qui supplante l'apprenti en lui
et ne peut résister à l'envie de destiner à l'élève Madeleine le fruit
de ses réflexions ou des remarques qu'on lui a peut-être servies en
classe. Il reste que le grand frère porte sur cette correspondance à
trois un regard intéressant dans la mesure où ses remarques per-
mettent au lecteur de cerner la façon dont il perçoit l'acte épistolaire. S'il attend «une gentille lettre[29]» de Madeleine, s'il trouve

25. Lettre [27] de Jacques Ferron à Marcelle Ferron, [février 1938], reproduite p. 69.
26. Lettre [26] de Jacques Ferron à Madeleine Ferron, [février 1938], reproduite
p. 67-68.
27. Christine Planté, *op. cit.*, p. 146.
28. Pour effacer cette impression, il faut jeter un coup d'œil aux manuscrits de la correspondance entre Jacques et Madeleine postérieure à 1960: on y mesure alors jusqu'à
quel point Madeleine a été encouragée à l'écriture par son frère, maintenant devenu
complice en littérature.
29. Lettre [30] de Jacques Ferron à Madeleine Ferron, [février 1938], reproduite p. 77.

« charmante [30] » celle de Marcelle, c'est qu'il a une idée précise du type de correspondance qu'il aimerait recevoir. Il reproche à Madeleine d'être « artificielle [31] », de ne pas « laisse[r] courir sa plume [32] » suffisamment, chose que Marcelle semble faire avec beaucoup plus d'aisance. Aussi écrit-il à cette dernière : « Il m'a tenté d'envoyer ta dernière lettre à Madeleine pour lui donner un exemple d'une lettre où la plume courût [33]. » Car la missive idéale pour Ferron, qu'il ne parvient pas souvent lui-même à rédiger — « mon naturel est assez lourd, je le fuis comme je peux [34] » —, est celle qui s'écrit « sans contrainte, avec beaucoup de temps, pour reprendre indéfiniment [35]… » En destinataire averti et exigeant, il commente les efforts de ses sœurs : « [Madeleine] m'a écrit une bien plus belle lettre que la tienne, toute contraire à la tienne », dit-il à Marcelle non sans ironie, « écrite sans rature, avec marges ; elle me dit des choses sérieuses et aimables [36]… », ajoutant dans un même souffle combien il savoure les « grandes lettres bleues, carreautées, ridicules [de Marcelle], où [s]a petite écriture remplie d'humeurs, de lassitudes, d'insatisfaction mord mal [37] ». Décidément, la lettre « rococo, [celle qui] parle de mille choses [38] » a sa préférence, ce qui révèle déjà un goût pour le baroque, chez ce jeune homme féru des plus grands auteurs classiques. Mais peut-être est-ce dû au fait que l'étudiant ne perd jamais de vue que les destinataires sont avant tout ses sœurs… et des filles !

Ainsi, quête d'une voix personnelle et études classiques s'amalgament et s'affrontent simultanément dans les derniers échanges de cette correspondance qui se clôt temporairement sur l'émergence d'un Ferron différent, étudiant en médecine ; ses lettres marquent alors un tournant décisif en accusant les préoc-

---

30. Lettre [34] de Jacques Ferron à Marcelle Ferron, [avril 1938], reproduite p. 82.
31. Lettre [15] de Jacques Ferron à Madeleine Ferron, [mai 1937], reproduite p. 45.
32. Lettre [32] de Jacques Ferron à Marcelle Ferron, [mars 1938], reproduite p. 81.
33. Lettre [31] de Jacques Ferron à Marcelle Ferron, [février 1938], reproduite p. 77.
34. Lettre [51] de Jacques Ferron à Marcelle Ferron, [1940], reproduite p. 109.
35. Lettre [34] de Jacques Ferron à Marcelle Ferron, [avril 1938], reproduite p. 83.
36. Lettre [31] de Jacques Ferron à Marcelle Ferron, [février 1938], reproduite p. 77.
37. *Ibid.*
38. Lettre [50] de Jacques Ferron à Madeleine Ferron, [automne 1940], reproduite p. 107.

cupations ponctuelles: «je ne puis regarder une personne sans penser qu'elle ne forme qu'un amas d'os semblable à celui que j'ai dans une valise que j'ouvre parfois pour faire des croquis, et non pour réfléchir sur la misère humaine[39].»

Au futur docteur Ferron, celui-là même qui affirmait naguère: «Je n'ai pas le tour de conter[40]», commence dès lors à se greffer le conteur, comme si l'un avait donné naissance à l'autre pour qu'ils trouvent ensemble un dérivatif à un destin pourtant assumé mais qui «vieillit extrêmement[41]» le fougueux étudiant de Brébeuf. Certaines lettres à Thérèse, en particulier, donnent à penser que Ferron, pour amuser sa plus jeune sœur, a commencé à cette époque à élaborer le bestiaire de ses contes: «Ici commence la triste histoire de cette lapine privée d'un charme nécessaire aux lapines et superflu aux petites filles, ce frémissement de narines qui dit aux lapins leur émotion, un peu comme une rougeur des petites filles dit leur émoi[42]», invente-t-il dans ce qui peut apparaître comme une ébauche d'histoire complètement loufoque.

Et dans la toute dernière lettre de cette tranche de correspondance, adressée aussi à Thérèse, Ferron explique comment les épistoliers doivent se «préparer» pour la lettre qu'ils s'apprêtent à rédiger en ménageant encore une fois une place de choix au règne animal dans le processus de création:

> Il faut qu'ils attendent un état d'âme spécial, propre à telle ou telle amie. Par exemple, pour correspondre avec une blonde, il est nécessaire que le matin, ils aient déjeuné de trois jaunes d'œufs, le midi, qu'ils aient vu en rêve trois grands veaux jaunes courir dans un champ d'avoine mûre, leur mère, une vache jaune, les rejoindre, les arrêter, les faire boire à sa mamelle dont le quatrième pis pend lamentablement, veuf du quatrième veau jaune qui n'existe pas[43].

---

39. Lettre [58] de Jacques Ferron à Madeleine Ferron, [1942], reproduite p. 117.
40. Lettre [32] de Jacques Ferron à Marcelle Ferron, [mars 1938], reproduite p. 81.
41. Lettre [58] de Jacques Ferron à Madeleine Ferron, [1942], reproduite p. 117.
42. Lettre [56] de Jacques Ferron à Thérèse Ferron, 13 décembre 1941, reproduite p. 116.
43. Lettre [60] de Jacques Ferron à Thérèse Ferron, [mars 1944], reproduite p. 119.

Allégorie ferronienne de l'écrivain qui se met au service de son imaginaire le plus débridé? Possible. La dernière lettre, en tout cas, confirme une mise à distance certaine par rapport aux lectures de collège et une propension vers un style en train de se définir, annonciateur des inventions savoureuses à venir.

Tout, cependant, reste encore à découvrir et à analyser dans ce corpus inédit. Il revient à la principale destinataire des lettres, Madeleine Ferron, d'ouvrir symboliquement le premier volume de cette correspondance avec son frère. Un extrait de sa nouvelle «Le tremplin», tirée du recueil *Le grand théâtre*, vibre en effet comme un témoignage soulignant les différences fondamentales entre l'écriture du frère et de la sœur, de leur perception respective de l'écriture et de la correspondance :

> Lui a déjà sa carrure d'homme, une moue de supériorité et ce sourire narquois qui l'impressionne, elle, la sœur cadette. […] Elle peut se souvenir avec tellement plus de précision de la correspondance qu'ils ont échangée d'un pensionnat à l'autre durant l'année scolaire qui a précédé les travaux. Elle a relu les lettres après cette disparition subite, prématurée et insupportable de son frère aîné. Elle revoit l'écriture fine, d'une préciosité voulue, le style original, leur exaltation commune d'adolescents. Quel plan devait-il imaginer? Devait-il se laisser influencer par l'art paysagiste naturel qu'aimait particulièrement Edgar Allan Poe? Style qui a du charme et de la grandeur, certes, mais qui est moins original que l'art paysagiste artificiel qu'adorait Baudelaire. Quand elle a retrouvé et relu les lettres, elle s'en est amusée. Assise sur le sol qu'il a aménagé, elle est toute remuée d'émotions. Elle ne pourrait s'empêcher de pleurer si elle ne se rappelait ses réponses à elle : peu lui importait les influences pourvu que le terrain soit couvert de fleurs rouges[44].

---

44. Madeleine Ferron, *Le grand théâtre. Nouvelles*, Montréal, Boréal, 1989, p. 114-115.

Lettres à ses sœurs
(1933-1945)

Au Collège Jean-de-Brébeuf
1933-1936

Jacques Ferron entreprend son cours classique au Collège Jean-de-Brébeuf, de Montréal, en septembre 1933; il y sera inscrit comme pensionnaire jusqu'à son premier renvoi, à l'automne de 1936.

[1]

Montréal, 10 septembre [1933]

Mademoiselle Madeleine Ferron [1]

Chère Madeleine,

J'ai reçu ta lettre qui me peine bien, et je t'assure que je prierai bien durant notre retraite qui commencera demain.

Dans la composition d'entrée en Thème latin, ayant la valeur de trois compositions, je suis arrivé premier avec 171 points sur 180.

Je te remercie des livres que tu as bien voulu me faire parvenir.

Je t'embrasse ainsi que sœurs et frère.

Ton frère qui t'aime bien,

Jacques

P.-S. — On a beaucoup d'ouvrage; excuse la lettre.

---

1. Madeleine, qui n'a pas encore terminé ses études primaires, est à Louiseville.

[2]

Montréal, 28 septembre 1934

Mademoiselle Madeleine Ferron
Louiseville

Chère petite sœur,

J'ai reçu ta lettre avec plaisir car j'étais loin de penser que tu étais pour m'écrire.

J'ai reçu la visite de papa aujourd'hui que [*sic*] tu continuais ton genre de vie de l'année passée c'est-à-dire…

Tout va bien ici, santé et travail sont d'accord.

J'espère que tu arrives bonne dans tes classes.

Ton frère qui t'aime,

Jacques Ferron

[3]

Montréal, 10 décembre 1934

Mademoiselle Madeleine Ferron
Louiseville

Chère petite sœur,

J'espère que tu ne t'es pas fâchée du retard déraisonné de ma réponse à ta charmante petite lettre.

Après deux chutes dans les deux dernières compositions mentionnées dans le bulletin mensuel que vous avez dû recevoir la semaine dernière, je me suis repris en Thème grec avec quarante-huit sur soixante.

Toi qui me connais, tu sais que je suis têtu, eh bien, je l'ai si bien démontré aux R. Pères qu'ils m'ont mis « i » pour la conduite à l'étude ; mais cela ne m'arrivera plus.

Vu que la classe est en arrière de son programme, nous n'aurons que la Mémoire française, latine et grecque pour examen avant les vacances.

J'espère que tout va bien dans tes classes et que ta conduite est meilleure que la mienne.

Tu salueras toute la famille pour moi, ainsi que mademoiselle Brouillette que j'aurai le plaisir de connaître aux vacances, et Georgette[2].

Je souperai avec toi le 22.

Ton frère qui t'aime,

Jacques Ferron

N.B. — Dis à papa qu'il n'oublie pas de m'envoyer une valise.

[4]

Montréal, 15 janvier 1935[3]

Mlle Madeleine Ferron
Louiseville

Ma chère Madeleine,

J'ai reçu ta mignonne lettre hier midi; je suis bien content que tu sois arrivée la première de la classe, c'est magnifique. Je regrette de ne pouvoir arriver premier cette semaine pour remplir ma dite promesse: nous sommes en examens et on n'a pas de composition hebdomadaire. Mais pour te faire plaisir, j'arriverai le premier dans quelques examens. Comme nous n'avons les résultats de nos examens que le premier jour de février, je te prie de bien vouloir patienter jusqu'à [cette] date.

Je suis bien heureux que Noiro ait repris sa vie normale; engraissez-le bien, car cet été je vais faire des expériences sur les

2. Mademoiselle Brouillette venait d'être engagée comme gouvernante par le père des enfants, le notaire Joseph-Alphonse Ferron. Quant à Georgette Caron, nièce du notaire, elle agissait depuis peu comme aide-ménagère temporaire chez son oncle. Les deux femmes remplaçaient Florence et Marie-Jeanne Bellemare, deux servantes qui avaient récemment quitté la maison. Sur les circonstances entourant ces changements, voir Jacques Ferron, *Papiers intimes. Fragments d'un roman familial: lettres, historiettes et autres textes*, édition préparée et commentée par Ginette Michaud et Patrick Poirier, Outremont, Lanctôt éditeur, «Cahiers Jacques-Ferron», n°s 1-2, 1997, p. 186.
3. Cette lettre se trouve dans le Fonds Jacques-Ferron (boîte 15; chemise 7, n° 1.2.2.7). Je remercie Luc Gauvreau qui m'en a signalé l'existence.

chats : comme voir si les chats peuvent vivre sans tête… J'espère que la chère Puçonne sera à ma disposition.

As-tu pensé que le jour qui précédait la date que tu as écrit ta longue lettre était la fête de maman [4] et qu'aujourd'hui c'est l'anniversaire du mariage de papa et de maman [5] ? Non, tu es trop légère !!! (au figuré et aussi au vrai sens).

Pendant que j'y pense, tu avertiras papa que j'ai envoyé mon habit bleu chez le buandier, on ne sait jamais, il peut s'agrandir.

Nous sommes dans le cœur des examens ; c'est terrible… l'anglais est samedi. Je me promets de passer une belle fête [6] : avant-midi : examen de catéchisme ; après-midi : classe de grec. Si tu savais comme j'ai hâte !

Un bec à tout le monde, et un salut aux deux hommes ! Je t'embrasse, et surtout, écris-moi souvent (je suis ta formule).

Ton frère qui t'aime bien,

Jacques

P.-S. : Écris-en aussi long !

---

4. Adrienne Caron était née le 10 janvier 1899.
5. Joseph-Alphonse Ferron et Adrienne Caron s'étaient mariés le 15 janvier 1915.
6. L'anniversaire de naissance de Jacques Ferron était le 21 janvier.

Au Collège de Saint-Laurent
1936-1937

Expulsé du Collège Jean-de-Brébeuf à l'automne de 1936[7], Jacques Ferron est admis au Collège de Saint-Laurent, où il termine la quatrième année de son cours classique (Versification). Sa sœur Madeleine, pour sa part, est maintenant pensionnaire au Couvent des sœurs de Sainte-Anne, à Lachine.

[5]

[Montréal]

En le 20ᵉ jour du mois de novembre, en l'année du Seigneur 1936ᵉ.

Mademoiselle Madeleine Ferron
Lachine

Mademoiselle ma sœur,

C'est assez — je cède — mais sais-tu ce qui me fait céder? Figure-toi que je lisais les *Fables* de La Fontaine, ou plutôt je les feuilletais... oui, c'est ça, je les feuilletais.

Je tombe sur «L'alouette et ses petits...» — je m'enfonce dans ma chaise, je lis: «Ne t'attends qu'à toi seul, c'est un

---

7. Sur les circonstances de ce premier renvoi, voir Marcel Olscamp, *Le fils du notaire. Jacques Ferron 1921-1949. Genèse intellectuelle d'un écrivain*, Montréal, Fides, 1997, p. 204-206.

commun Proverbe»... chose qui me surprit beaucoup (car tu
m'as déjà dit que je ne t'aimais pas). J'ai pensé à toi, j'ai pensé à
nous qui ne nous écrivons jamais, mais qui le désirons — pourquoi?

Parce que tu te dis: «il commencera»; parce que je me dis:
«elle commencera»; parce que nous nous disons: «l'autre commencera». Alors ça traîne naturellement. Mais ça ne traînera
plus; éclairé par le bonhomme La Fontaine, l'esprit en verve, j'ai
pris mon stylo, et je t'écris.

Je t'écris de ma nouvelle résidence — car tu sais, j'ai déménagé. Pourquoi? — c'est indiscret, mais je réponds quand même.
Eh bien! j'étais fatigué de vivre dans le moderne — alors j'ai
déménagé tout simplement. Je me suis trouvé assez facilement
une nouvelle résidence, qui tout naturellement est une antiquité
— elle est bâtie paraît-il depuis exactement quatre-vingt-dix
années[8] — alors tu comprends — je suis bien content. Ma gaîté
me revient, mon ardeur, ma force d'âme, mon caractère, ma
volonté, en résumé à peu près tout moi-même, renaissent sous le
souffle antique. Mes études sont cent pour cent antiques — c'est
un toquage? peut-être; mais d'abord que je suis satisfait. Je fais
mes délices, dis-je, dans l'Antiquité — je suis fréquemment en
campagne militaire, parfois je commande la retraite des Dix
Mille, parfois je conquiers les Gaules. Ces expéditions ont lieu
d'ordinaire le matin, alors que j'ai l'humeur belliqueuse. L'après-
midi, je suis Démosthène, je montre aux Athéniens la menace du
Nord, je leur dis que s'ils ne s'arment pas Philippe les mangera.
On ne m'écoute pas — alors je tombe dans un profond découra-
gement. Alors c'est le soir — harassé, je me repose, en lisant Pla-
ton et Aristote. Mais passons.

Mais avant de passer, je te prie de remarquer que j'ai rempli
plus de deux pages en ne disant à peu près rien. Sans me vanter,
c'est digne d'admiration!

Une chose qui va peut-être te surprendre, c'est que j'ai décidé
d'apprendre la musique. Pourquoi? voici mes raisons: *primo* —

---

8. Le Collège de Saint-Laurent existait depuis 1847, alors que le Collège Jean-
de-Brébeuf n'avait ouvert ses portes qu'en 1928.

aimant beaucoup la musique, je veux, tout en satisfaisant cet amour, le faire grandir. *Secundo* — connaître la musique est une accroissance [*sic*] de culture. *Tertio* — j'apprendrai aussi la musique parce que c'est un divertissement qui est supérieur à tout autre. Quarto — la musique adoucit les mœurs, chose qui t'évitera cet été bien des… mais passons.

Hier, première représentation d'*Horace*. Je t'attendais, mais je n'ai pas perdu espérance; il y [en a] encore demain. Ah oui! à propos de la pièce : le jeune Horace, c'est-à-dire celui qui fait le jeune Horace, est un condisciple de moi[9], il s'embête dans la même classe que moi. Si gagné par son beau jeu, par ses beaux yeux, je me ferai un devoir de me faire l'intermédiaire entre toi et lui. Mais ce n'est qu'une hypothèse; je sais que tu es fille trop sage pour cela.

Passons pour la troisième fois (ma veine diminue).

J'ai vu papa mardi : il était en voyage d'affaires, et très pressé — il n'a pu aller te voir. Il m'a dit — c'est un secret — qu'il est très content de toi. Je te félicite, continue; c'est en faisant son devoir le mieux possible qu'on est heureux; crois-moi, car j'ai plus vécu que toi, et je le sais par ma propre expérience.

Je sollicite de ma sœur une réponse — une longue réponse plus remplie de faits, plus remplie d'idées que la mienne. Tu y parleras de musique, vu ton expérience, tes connaissances, en cet art.

Je t'embrasse (aujourd'hui tu ne pourras dire non).

                                                          Jacques

P.-S. — Excuse ma lettre — elle [est] remplie de fautes, de fond comme de forme. Je suis très en retard dans mes classes.

---

9. *Horace*, de Corneille, fut présenté au Collège de Saint-Laurent les 19, 21 et 25 novembre 1936. Le condisciple dont il est question se nommait Jean-Paul Arseneault.

[6]

Saint-Laurent, 7 décembre [19]36

Mademoiselle Madeleine Ferron
Lachine

Ma chère Madeleine,

J'ai reçu ta lettre ce midi... elle m'a fait bien plaisir ; d'autant plus qu'elle s'est fait attendre... C'est vrai ; plus l'on fait attendre, plus l'on fait patienter, plus le plaisir est grand. Et voilà je te réponds dès aujourd'hui pour faire le méchant, pour ne pas te donner le plaisir d'attendre...

L'« apprenage » de la musique, j'ai remis ça pour après Noël ; je retarde ainsi, parce que piocher pendant quelque six mois pour apprendre à jouer raisonnablement me fait horreur.

Mais par contre je suis lancé dans l'éloquence, la déclamation... que sais-je. Qui aurait pensé cela de moi, eh bien ! j'aime beaucoup parler, déclamer...

Après tout ce n'est pas bien difficile. Pour commencer il faut être assez intelligent pour ne pas être gêné — on avance bravement, on regarde héroïquement son auditoire. Dans les débuts on tremble, on flageote [*sic*]..., mais avec un peu de courage ça vient — Et puis, les débuts franchis, on prend goût. J'ai fait un discours, jeudi dernier, sur Alfred de Musset. Eh bien ! j'ai réussi, très bien réussi — mon discours a été proclamé « le meilleur discours prononcé cette année, durant les séances littéraires de Versification ». Je te dis cela, juste pour te narguer, juste pour que, stimulée par l'éloquence !!! de ton vénérable frère, tu prennes goût à cela, et qui sait ! pour que tu deviennes une madame Black [10]...

Tu apprécies Malherbe ; tu as beaucoup de goût ! Mes félicitations ! Voici, sur Malherbe, des vers d'un auteur du siècle dernier, Théo de Banville :

_____

10. Intendante que le notaire avait engagée, peu après le décès de sa femme, en 1931, pour diriger sa maison et voir à l'éducation des enfants.

Enfin Malherbe vint[11]...
C'était l'orgie au Parnasse, la Muse
Qui par raison se plaît à courir vers
Tout ce qui brille et tout ce qui l'amuse,
Éparpillait les rubis dans ses vers.
Elle mettait son laurier de travers.
Les bons rythmeurs, pris d'une frénésie,
Comme des Dieux gaspillaient l'ambroisie ;
Tant qu'à la fin, pour mettre le holà
Malherbe vint, et que la Poésie
En le voyant arriver, s'en alla.

Cela signifie que Malherbe, avec toutes ses belles réformes, a fait de la poésie du rimage. Si jamais tu lis du Malherbe, tu y trouveras une adorable sécheresse, une divine platitude. C'est encore ton cher Malherbe qui faisait de la poésie un métier : pour lui on était poète, comme on était épicier, boucher...

Encore une fois, je te félicite.

Je suis toujours le même, toujours à part des autres, pensant toujours contrairement aux autres... Pour que tu ne puisses pas me dire que je ne me corrige pas, je te concède ceci : que Malherbe et ses réformes a sauvé la poésie française de tomber dans la vulgaireté [*sic*], mais tu ne me feras jamais coller que Malherbe fut poète. Pour que tu sois de mon avis, donne-toi la peine de lire Malherbe, et tu verras.

Quant à ton admiration pour Corneille et Pascal, je suis parfaitement de ton avis. Corneille est avec Racine le classique par excellence. À Noël j'apporterai le théâtre de Corneille que j'ai ici : ça te va ? car on ne peut jamais juger sans avoir goûté. Et j'ai peur que tu [ne] juges que d'après le jugement que te donne ton vénérable manuel. D'ailleurs ce n'est pas à la première lecture que l'on goûte pleinement Corneille ou Racine. Quant à Pascal, je ne crois pas que tu puisses aimer à ton âge, ses pensées...

---

11. Ce court poème est le onzième d'une série de vingt-quatre « Caprices en dizains à la manière de Clément Marot » qui figurent dans le recueil de Théodore de Banville, *Les Cariatides* (1842). Le titre fait bien sûr allusion à la célèbre exclamation de Boileau dans son *Art poétique* (1674).

Moi je suis à la fois plus antique et plus moderne que toi actuellement. J'étudie l'Antiquité : les latins surtout. Je lis actuellement du Salluste et du saint Augustin. Je lis ce dernier — ses *Confessions* que j'aime beaucoup — traduites en français. Quant à Salluste je le lis dans le texte ; ça va plus tranquillement, mais ça va.

Je suis plus moderne, en ce que mes lectures, que mes poètes préférés, sont des types de nos temps — Claudel, Péguy, Le Cardonnel, A. de Noailles... ou des symbolistes — Verlaine (le Verlaine de la *Sagesse*) et Samain... etc.

Mais je fais le pédant !!!

Je m'intéresse beaucoup à la JEC [12]. Peut-être rentrerai-je dans ça. Je lisais sur le dernier numéro de ladite JEC, un article sur madame Julie Lavergne [13]. Je me disais : « si j'étais femme, je serais à peu près comme cette madame Lavergne » — c'est peut-être ton idéal — il est très beau.

Au fait, dis-moi, es-tu jéciste ? il me faut une réponse pour le 15 décembre — ou sinon...

Ton frère qui t'haït beaucoup, beaucoup,

Jacques

[7]

Saint-Laurent, 17/12/36

Mademoiselle Madeleine Ferron
Lachine

Sœurette,

Ta lettre a été accueillie avec une grande joie sous mon toit : elle m'a donné prétexte de tourner le dos à un texte grec indéchiffrable ; on dirait que le bon Xénophon (car c'est un extrait du

---

12. Jeunesse étudiante catholique.
13. Ce long article, signé « Le Cigne » [*sic*], parut en trois parties dans le journal *JEC* sous le titre : « Une captivante physionomie de femme. Madame Julie Lavergne » (II : 11, novembre 1936, p. 14 ; II : 12, décembre 1936, p. 13 ; III : 1, décembre 1937, p. 15).

Hiéron) a fait exprès pour faire ça embêtant ; bonne chance pour lui qu'il soit mort depuis longtemps, parce que je lui montrerais qu'on ne se rit pas du monde impunément. Donc grâce à ta lettre j'ai un double plaisir : celui de flanquer « là » Xénophon et celui de t'écrire.

« Encore douze jours », dis-tu. C'est pratiquement faux, mademoiselle, car notre sortie aura lieu le 23, à la demie de midi. C'est vraiment regrettable pour toi, et pour moi aussi, car il m'aurait grandement plu de prendre le « Rapide de Québec » bras dessus et bras dessous avec ma belle, jolie, agréable sœur.

Coïncidence ! Nous aussi nous sommes en examen — ça ferraille dur. Hier deux versions, une grammaire, aujourd'hui une composition littéraire anglaise, demain de l'algèbre, et ce fameux texte grec de Xénophon, et je ne te parle pas d'après-demain… Mon Dieu ! c'est à mourir. Je suis à moitié mort ! Je ne sais où je trouve assez de force pour improviser une lettre qui ait du bon sens.

Mes félicitations pour ton travail acharné, et mes félicitations pour ta « pointe » qui était fort bien tournée. C'est vrai que l'on est au collège pour étudier — je n'aurais jamais cru que tu puisses donner une pensée si profonde !!! Moi je ne travaille pas pour réussir, je travaille pour m'instruire. (*Don't be angry.*)

Pendant que j'en suis à cela : je crois très bien arriver dans mes examens, et cela malgré un changement de livres, des matières nouvelles… etc.

« La narration te va très bien »… c'est de famille alors, car ça me va à moi aussi : j'ai pris l'habitude de toujours faire à part des autres, tu sais ! Eh bien ! si ça [ne] me réussit pas très bien ailleurs, en composition littéraire ça me réussit très bien.

Enfin j'ai bien hâte de revoir Louiseville, de me reposer.

Je te remets la « tape ».

Ton frère qui t'aime,

Jacques

P.-S. — Papa viendra-t-il à Montréal ces jours ici ?

[8]

Collège de Saint-Laurent [14]

22/1/3[7]

Ma chère Madeleine,

Tu ne puis savoir toute la joie que m'ont causée tes bons souhaits; tu es vraiment bien bonne d'avoir pensé à ton grand frère;
et grâce à toi (car il fait tant plaisir qu'on pense à soi), grâce à toi
j'ai passé le plus beau jour de fête imaginable; tant d'affections me
rendent confus, de confusion, de joie et de reconnaissance, et je
voudrais te dire tout cela en détail, mais les mots me manquent.

Je connais ta réponse d'avance: «les devoirs, une grosse
semaine… des retards…»; je comprends, je comprends.

Mais j'attends cette réponse avec anxiété quand même, et
pour mon cadeau je n'ose te demander de me donner mon portrait que tu as pris durant les vacances.

Je t'embrasse,

Jacques

[9]

[Montréal, janvier 1937]

Ma chère Madeleine,

C'est peiné, c'est confus que je suis, Madeleine. Tu as dû
trouver le ton de ma dernière lettre plutôt arrogant. Figure-toi
que je te l'ai expédiée sans attendre de recevoir ta lettre de bons
souhaits — qui, entre parenthèses, m'a fait grand plaisir. Alors tu
comprends, pensant que ma sœur m'avait oublié, j'étais plutôt
arrogant. Je m'excuse donc de cette lettre, et j'ai l'espoir d'être
excusé par ma grosse sœur qui a bien voulu me répondre.

Mais oui, Madeleine, tu m'as volé mon portrait: quand tu
m'as posé en skis — tu t'en souviens? le dernier jour des vacan-

---

14. Lettre rédigée sur du papier à en-tête du Collège de Saint-Laurent.

ces. Alors c'est pourquoi je t'ai demandé de m'en faire finir un pour moi, en l'honneur de ma fête. *That's O.K. ?*

Tu parles de Chopin — ça me fait penser que j'ai un discours à faire pour Chopin — je dois le prononcer dans un mois et demi. Je crois assez bien réussir. Aux vacances j'ai pris quelques notes qui sont amplement suffisantes. Je peux gager que tu n'as pas eu connaissance de cela.

Cela aurait été gentil de venir me voir, surtout avec une amie. Je ne doute pas que tu aies du goût pour le choix de tes amis. Vraiment cela m'aurait fait grandement plaisir. Cela me fait penser : le portrait que je te demande plus haut est la demande d'une amie à moi. Car tu sais à seize ans, les amies sont permises ! Ne proteste pas, tu n'en as que quatorze et tu as Émile[15] ! Cela me rappelle : Émile te fait demander s'il lui serait possible de t'écrire. Ne lui refuse pas : cela lui ferait tant de bien !

Je te dirais bien des choses sur Émile — mais le temps me manque. À la prochaine lettre je te promets deux pages sur ton *Darling*.

Je t'embrasse,

Jacques

P.-S. — N'ai pas le livre demandé — *I am sorry*. Quant à la grippe, malgré une neuvaine au frère André, je ne l'ai pas encore.

[10]

[Montréal, février 1937]

Ma chère Madeleine,

Il ne sera pas dit que ton grand frère a toléré que trois de ses lettres fussent sans réponse ; il t'en écrit une quatrième. J'ai peur, vois-tu, du chiffre trois ; c'est fou, mais que veux-tu ; lorsqu'on le

---

15. Il s'agit d'un cousin éloigné, neveu de l'oncle Émile Ferron. « J'avais eu la malencontreuse idée de dire à Jacques qu'il me plaisait », écrit Madeleine (lettre à Marcel Olscamp).

prononce devant moi je crois voir quelque chose de jaune, couleur dont j'ai horreur ; cela explique les correspondances ; les sens se correspondent surtout en poésie, mais même en conversation ; tu diras : « Quelle saveur a ce vert ! » Baudelaire a un sonnet où il illustre ces correspondances ; Rimbaud l'a continué et il a suggéré des correspondances aux voyelles ; par extension je puis dire que trois est équivalent pour moi à la couleur jaune, comme celle-ci à la lettre « o » ; or deux quantités équivalentes à une même troisième sont équivalentes entre elles.

Voilà quelques notions qui te seront utiles, car la poésie contemporaine use beaucoup de correspondances.

Émile est venu me voir ; il m'a dit qu'il serait chez mon oncle Émile du vingt à la fin du mois. C'est étrange comme il est tenace. Maintenant il m'a donné des vers qu'il a composés pour toi ; je les trouve pas si mal, il a quelque talent, il faut le dire ; toutefois il se permet l'enjambement, c'est-à-dire le rejet au vers suivant de mots liés par le sens au dernier mot du vers précédent, ce que je condamne. Il est aussi un peu emphatique. Je te transcris ses vers.

Pour Madeleine

J'aime les désolés portiques de vos yeux,
Et j'aspire à peupler le vide de votre âme ;
Laissez-moi m'y glisser et ranimer les feux,
Et pousser les volets sur les diurnes flammes.

Ne me regardez pas avec cette hauteur !
Fermez votre paupière afin que le pauvre homme
Que je suis, ne vous blesse, et laissez votre cœur
Se détendre et s'emplir de mon pauvre amour comme

Un verre de vin ; car n'a-t-il pas été fait
Pour contenir l'amour ? Et s'il vous arrivait
De l'oublier longtemps encor dans l'armoire,
Il se briserait quand votre âme y voudrait boire.

Décidément, ce sont de bons vers, meilleurs que les miens ; je serais fier, moi, d'avoir un tel ami.

Je garde le manuscrit au cas que dans une crise de gêne, tu le déchires ; si tu le veux, paie-moi ; j'ai besoin d'argent ; au moins deux piastres ; sinon je les montrerai à tout le monde de Louiseville, et tu rougiras jusqu'aux oreilles.

Maintenant douterais-tu que je ne puisse pas réaliser ce que je dis ? Un baiser et le souhait de rêver à cet Émile que j'ai créé pour te punir.

Jacques

[11]

Collège de Saint-Laurent [16]

22/2/37

Ma chère Madeleine,

Quand j'ai raconté, ce midi, à mon écriture ce que tu en avais dit, figure-toi qu'elle s'est fâchée ; elle a protesté hautement, puis son sac à protestations vidé, elle m'a demandé de lui montrer la lettre de la demoiselle qui l'avait jugée ; je la lui montrai aussitôt — car vois-tu, je ne contrarie jamais mon écriture, moi. Front sévère, lèvres dédaigneuses, elle l'a lue tout entière ; je m'attendais à un flot de moqueries ; aussi quelle fut ma surprise de l'entendre murmurer : « Après tout, ta sœur, elle a peut-être raison ; son écriture exprime la confiance, la force, le bon sens, et moi qu'est-ce que je symbolise, une certaine vanité, de l'indolence. »

Si mon écriture si fière d'elle-même a plié devant la leçon, moi naturellement je l'accepte avec plaisir, et je fais de grands efforts pour écrire aussi bien que ma sœur.

Toujours flatteuse pour son frère ! Moi, bien réussi sur le portrait envoyé ! Vous moqueriez-vous de moi par hasard, mademoiselle ? êtes-vous sérieuse ? C'est certainement une boutade, car ce serait inqualifiable de ta part de me faire passer pour bien rendu ;

---

16. Lettre rédigée sur du papier à en-tête du Collège de Saint-Laurent.

et je rage de savoir que tes amies sont d'accord avec toi, si tu ne rigoles pas. Si elles voyaient l'original! n'est-ce pas?

Mais je laisse mes phrases vides; je viens immédiatement de recevoir une nouvelle qui me bouleverse beaucoup. Figure-toi que j'ai à faire un discours à l'Académie du Collège, c'est-à-dire devant tous les élèves — Tu comprends que je sois plutôt nerveux; mon discours est à peine ébauché, et la séance a lieu le cinq mars; il me faut apprendre un autre discours pour jeudi, devant ma classe celui-là, et puis à part cela deux compositions dans une semaine; je suis littéralement écrasé, mais j'aime beaucoup ça être surchargé; c'est un plaisir d'abattre ça, et le soir pouvoir se dire: «Mon petit tu as gagné un somme.» Je parlerai sur Chopin le 5. Si je réussis, je serai promu candidat à l'Académie (l'Académie est formée des quarante meilleurs orateurs de philosophie et de rhétorique; les humanistes et les versificateurs peuvent être candidats). Si je l'étais ça fera plaisir à maman; tu dois savoir que le cinq est le triste anniversaire [17]; elle serait contente de moi...

Donc il faut me taire: mon ouvrage m'attend; il me faut faire une énorme trouée aujourd'hui.

Bonjour donc,

Jacques

[12]

Montréal, 15 mars 1937

Mademoiselle Madeleine Ferron
Lachine

Ma chère Madeleine,

Vraiment tu as de bien courts loisirs pour écrire à ton grand frère; eh bien mademoiselle, c'est tant pis pour vous: je serai aussi bref que vous l'avez été pour moi. Mais, après tout, c'est

---

17. La mère de Jacques Ferron était décédée le 5 mars 1931.

payen ce que je fais : Notre Seigneur n'a-t-il pas dit de pardonner et de repardonner ? c'est vrai. Et c'est pour cela que, changeant de résolution, je t'écrirai raisonnablement long.

Par coïncidence la fête de Philosophie est tombée juste sur le jour auguste et solennel où ton grand frère devait parler. Résultats : la séance académique est remise au mois prochain. C'est tant mieux pour moi : j'aurai le temps de préparer un discours très « chic », qui me rapportera des lauriers. Je tiens beaucoup aux lauriers ; ce qui signifie que je suis vaniteux. Mais les louanges qui flattent l'amour-propre sont justes et méritées, car il faudrait être bougrement sot pour se complaire à des flatteries non méritées. Et puis ces louanges qui flattent l'amour-propre sont salutaires parce qu'elles l'adoucissent, l'amollissent, et ainsi le rendent plus sensible aux revers ; les revers donnent la force à la volonté qui fera son possible pour qu'ils ne reviennent plus nous torturer. Ainsi les lauriers sont salutaires.

J'arrive très bien dans mes classes, surtout dans les compositions qui comptent pour la fin de l'année, c'est-à-dire pour les prix ; je t'avertis donc qu'il va te falloir travailler si tu veux en avoir autant que moi : je suis premier en Version latine (96 %), Grammaire grecque, Racines grecques, et second en Version grecque et Grammaire latine ; j'ai aussi l'espoir, la certitude même d'accrocher le prix de Composition française et peut-être aussi le deuxième prix de sagesse. Mais d'ici la fin de l'année, j'ai bien des chances de dégringoler — alors « adieu, veaux, vaches, cochons, couvée »... Mais je veux arriver, et quand on veut on peut.

Un bec,

Jacques

N.B. — Sors-tu à Pâques ? quels jours ? Moi je sors le Samedi saint matin pour rentrer le 1er avril.

[13]

Collège de Saint-Laurent[18]

Vendredi soir [avril 1937]

Ma chère Madeleine,

J'aurais voulu te répondre bien plus tôt, mais j'étais, quand j'ai reçu ta lettre, en pleine fièvre de lecture ; maintenant que la fièvre est passée (je n'ai plus de livres !), il me sera possible de t'écrire convenablement, j'espère. Tout d'abord je te félicite sur ta lettre : elle est mieux que de coutume, plus naturelle (tu as des progrès à faire sur ce point-là ; d'ailleurs moi autant que toi) ; enfin tu y dis quelque chose. C'est une « amélioration » faut-il croire, et je t'en félicite. Parlant d'« amélioration », je suis heureux que tu m'aies trouvé plus « chic » envers toi aux dernières vacances ; mais je t'avoue que c'est une amélioration bien piètre, une amélioration de surface ; ne remarques-tu pas, Madeleine, que l'on est porté à se connaître par la surface : nos actes, paraît-il, révèlent ce que nous sommes ; c'est peut-être un peu raisonnable, mais c'est fort incomplet.

Vraiment, Madeleine, ton désir « de faire encore cinq milles pour venir me voir » m'a touché beaucoup ; car c'est réellement touchant, mais je suis bien sceptique, tu sais, pour ces effusions… (*don't be angry*).

Quant à tes souhaits pour mes discours, ils m'ont fait plaisir ; j'en ai prononcé un sur Laurier devant la classe ; j'ai eu encore du succès ; mais je t'avoue que cela ne peut durer ce succès-là ; tôt ou tard, je raterai mon coup ; cela me fera du bien car je me fais bien des illusions. La fameuse Académie où je devais prononcer un discours, tu sais ! (je t'en ai assez parlé) est encore remise. Je commence à perdre patience, et je crois que je flanquerai tout cela, quoique ce soit uniquement pour mon bien ; ça bouleverse beaucoup, excite beaucoup.

Je suis arrivé troisième pour le mois de mars ; je suis content parce que cela fera plaisir à papa ; à part cela, j'ai peu d'ambition,

---

18. Lettre rédigée sur du papier à en-tête du Collège de Saint-Laurent.

et j'ai décidé de prendre un repos durant le mois d'avril, quitte à bûcher pour deux au mois de mai.

Ces jours ici, j'ai été élu président de ma classe pour le Parler français. Je ne sais pas trop ; à part la satisfaction que reçoit mon orgueil, c'est une fonction qui m'embête beaucoup.

Enfin, (pour en finir) Messire Printemps est revenu ; il y en a qui disent qu'il apporte la joie ; est-ce vrai ? Je ne puis dire, toutefois je t'affirme qu'il est bien triste derrière les vitres de la salle de récréation ; si encore on pouvait sortir de cet affreux collège ; par exemple, rien ne me passionnerait autant que d'herboriser. Mais non, on nous tient sous clef. Bonne chance que j'ai la lecture et le travail ; cela étourdit, mais cela ne me contente pas...

Je vois vraiment noir, ce soir.

Je t'embrasse,
et je te hais bien plus que tu ne penses, tu sais !

Jacques

[14]

[Montréal, avril 1937]

Ma chère Madeleine,

J'aime beaucoup la petite sœur qui donne des conseils à son grand frère, et qui l'encourage ; mais je crois que le grand frère a beaucoup de courage. Toutefois il te remercie pour ta bonne attention, qui vaut bien des griffonnages. Oui, c'est vrai, avril est à l'agonie, quelle agonie ! Il fait beau, il fait bon ; c'est si beau, si bon que c'est bien difficile d'étudier. Si je n'avais point ta lettre à écrire, eh bien ! je rêvasserais. Ou plutôt je ne penserais à rien et je sentirais en moi cette joie que l'on ressent le matin en se réveillant, soleil dans les yeux. Mais malgré ces mouvements de paresse, j'ai encore du courage. Dieu merci ! Ce que je ne peux pas éviter (comme les devoirs) je le fais très bien — et la preuve, ce matin je suis arrivé le premier dans la seconde composition pour le prix de Version latine.

Mais chose que je trouve étonnante c'est ton charitable souhait de rater un discours. Ah ! je sais ce que tu penses : tu penses que je suis trop orgueilleux et qu'il faudrait me rabaisser. C'est raisonnable, mais je ne me laisse pas rabaisser comme cela. D'ailleurs si je suis orgueilleux je ne le suis pas sottement et sans raison — j'ai raison de l'être, car j'ai du talent (je dis ce que je pense). D'ailleurs tu verras plus tard que l'orgueil est le grand fond des choses — si tu avais la permission, je t'enverrais les maximes de La Rochefoucauld.

Mais malgré tout ton souhait peut se réaliser. Demain je déclame, et je parle sur le Bon parler, à la fois. Ça [ne] me surprendrait nullement de rater ma déclamation, car j'ai beaucoup de misère avec mes gestes. En discours être avare de gestes, ça passe, mais en déclamation…

C'est avec un peu de regret que je quitterai le Saint-Laurent [19], car j'y ai un très beau nom : au réfectoire, en récréation, partout je suis l'oracle quand il y a des énigmes ; en classe, si les élections se recommençaient (je n'étais pas là quand elles ont eu lieu), on m'élirait à coup sûr. On sent cela quand on est estimé ; d'ailleurs n'ai-je pas été élu pour le Bon Parler ? Mais je mérite cela, car je suis ami de tout le monde ; je suis très chic : je passe des livres à tous et à chacun (j'en ai quarante qui circulent). Mais je dois te paraître fat, mais c'est pourtant la vérité. Et je ne suis pas menteur.

Tu me rappelleras mes mensonges à papa n'est-ce pas ? En bon avocat (je le serai) je me défends par ceci :

1° Que si je disais des mensonges à papa, je le laissais paraître, alors que j'aurais pu facilement m'arranger pour tout cacher.

2° J'ai menti pour ne pas dire à papa, sais-tu quoi ? Tu ne sais pas ? Tant pis, je ne te le dis point, mais toujours est-il que ce n'était rien de grave, je t'assure.

Je fume la pipe, je lis assez,
et je t'aime beaucoup,

Jac

---

19. Ferron venait d'apprendre qu'il serait réadmis au Collège Jean-de-Brébeuf au mois de septembre suivant (1937).

[15]

[Montréal, mai 1937]

[À Madeleine]
Ma sœur,

Que vous est-il advenu ? Je n'ai pas reçu de lettres depuis fort longtemps ; et je suis fâché ; et je vais te faire des reproches, te dire que tu préfères Paul à moi, te faire une vraie scène, quoi !

Ce serait mon ton, si j'avais un esprit de convenances, mais grâce à Dieu, pour me connaître, je sais qu'une lettre est une corvée quand on n'en a pas le goût, et que malgré toute l'affection qu'on leur peut porter, frères et sœurs sont si loin qu'on ne pense pas beaucoup à eux, qu'on pense plus à ses études, à ses ambitions qu'à eux, et qu'on ne leur écrit pas.

Mais il se peut qu'on ait le goût de leur écrire, que la fatigue fasse passer au second plan les études…

Je suis dans cet état d'âme, ma chère ; c'est pourquoi je t'écris ; mais sans cela tu n'aurais pas reçu de lettres de moi, je t'assure ; n'est-ce pas que j'ai de grands sentiments pour toi ?

Je voudrais te parler de toi ; ça te ferait plaisir, et te rendrait ma lettre tellement intéressante ; mais que puis-je dire ? Tu es sage fille, intelligente ; non je n'ai rien à te dire de toi ; c'est regrettable, n'est-ce pas ? La Rochefoucauld dit à peu près : « On aime mieux entendre dire du mal de soi, que de n'en point entendre [20]. »

Toutefois je te dirai de toi que je crains la manière dont tu me sembles procéder dans tes études : manière artificielle et de mémoire. N'oublie jamais que le but principal de l'instruction est d'éveiller en soi des tendances latentes, mais qu'elle rate son coup lorsqu'elle tourne sur du vide, c'est-à-dire qu'elle ne consiste qu'en mémoire. Si je voulais te faire fâcher je dirais que ce n'est pas un mal, parce que vous, jeunes filles, une de vos fins est d'élever des enfants, et que l'enfance, le cerveau malléable et où rien n'a été écrit de l'enfant souffre du commerce de parents trop

---

20. La maxime se lit plutôt ainsi : « On aime mieux dire du mal de soi-même que de n'en point parler. »

cultivés, donc étant trop loin pour lui de la nature[21]. Mais je ne veux pas te faire fâcher.

Moi, le printemps qui s'en vient, qui est déjà dans le soleil me fait rêver de vacances ; j'ai hâte déjà aux grandes vacances ; je me promets de courir les bois ; il me semble que j'ai besoin de ça ; je suis fatigué de l'étude.

Mais j'étudie quand même et lis quand même. Je réussis en classe, surtout en Composition littéraire, en Vers français et en Analyse littéraire, dont j'ai accaparé la première place. Je me suis dégagé considérablement depuis un an ; je pense surtout par moi-même alors qu'auparavant j'étais écrasé sous la pensée des autres. Et j'éprouve de grandes joies dans l'étude et l'art ; et je me sens une grande compréhension ; je me sens un talent qu'il faut développer à force de travail ! Mon grand bonheur est d'être sans cesse insatisfait de moi ; c'est un grand stimulant à travailler.

Musique. Je veux me cultiver par la musique. Ainsi je vais m'acheter quelques disques (j'ai plus de dix piastres d'économisées) de Bach et de Debussy, je crois ; de Ravel et de Fauré peut-être aussi. Qu'en dis-tu ?

Si tu veux que je t'envoie des livres, dis-le-moi ; j'ai quatre abonnements à une bibliothèque ; ça développe beaucoup ; je trouve imbécile un cours de littérature qui n'a autre but que de conseiller des auteurs. Ne travaille pas trop pour arriver la première ; ça vaut rien.

Ton frère,

Jac

---

21. Cette idée semble préfigurer, à plus de trente ans de distance, un passage du roman *Les roses sauvages* que Ferron publiera en 1971 : « Ce qu'il faut à un enfant, ce n'est pas une mère qui joue du violon, une mère qui écrive des livres, c'est une mère qui soit une bonne p'tite vache affectueuse, du moins pour les premières années » (Jacques Ferron, *Les roses sauvages*, préface de Betty Bednarski, édition préparée par Pierre Cantin, Marie Ferron et Paul Lewis, Outremont, VLB éditeur, « Courant », 1990, p. 32-33).

[16]

[Montréal, mai 1937]

[À Madeleine]
Ma chère petite,

De toutes les lettres que j'ai reçues de toi, aucune ne m'a plu comme la dernière. Bien que je m'en veuille un peu de t'avoir fait penser toutes sortes de choses — par exemple que je ne t'aime pas... etc. Je suis heureux d'avoir été muet, car ta lettre m'a montré ce que tu savais d'ailleurs, que tu as un bon cœur et que malgré mon caractère souvent pointilleux, mes dires, mes fanfaronnades... etc. tu m'aimes, ce dont je fus très heureux.

C'est vrai que je ne suis point sociable, mais encore plus négligent et paresseux : à ta carte je voulais répondre, j'avais même commencé une lettre (je te l'envoie), mais elle ne m'avait pas plu, elle me paraissait bête, sèche, et j'avais des lectures fort savoureuses ; aussi je l'ai remise, remise et ne t'ai point répondu, ne m'en veux pas ! Ne va pas te figurer aussi que j'aime mieux Marcelle que toi[22]. Je t'aime autant que Marcelle parce que tu as bon cœur, autant qu'elle si ce n'est plus. Elle te peut paraître mon « sosie », parce qu'elle a un peu de mon caractère (sans fatuité), mais pour l'aimer plus que toi, allons donc ! Et c'est l'amour qui compte, ma petite.

Dire que tu me fatigues avec tes banalités, c'est une autre erreur ; c'est faux que tu sois banale quand tu veux m'écrire sérieusement. (La preuve, cette lettre qui est épatante.) En voulant faire de l'esprit souvent tu as manqué ton coup et je te l'ai dit un peu brutalement, mais quand tu te laisses parler, que tu dis : « Oh ! Jacques, il y a presque quinze jours... », tu écris magnifiquement, mais lorsque tu te demandes si « le service des postes aurait mal servi », tu me plais moins parce que tu n'es point simple. Écris avec simplicité ce que tu as à me dire et tes lettres me seront une grande consolation, sincèrement.

Je veux t'aussi reprocher [*sic*] d'avoir été un peu fielleuse : je sais que ça montre que tu étais triste de mon silence ; mais à

---

22. Marcelle Ferron avait rejoint sa sœur Madeleine au pensionnat de Lachine.

l'avenir chicane-moi comme un méchant grand frère indolent qui souffre le premier de sa méchanceté.

Bonjour, mais d'un ton moins brusque que le tien,

Jac

[17]

[Montréal, 6 juin 1937]

Ma chère Madelon,

Accepi tua litteras[23], et j'ai été bien content; vraiment je n'ai pas perdu mon année, car j'ai appris à M. Ferron à répondre prestement et à écrire autre chose que les potins du village! J'en remercie Dieu et la Sainte-Trinité, et sans autre préambule je t'écris jusqu'à ce que j'aie mal à la tête.

Non, je n'avais pas pensé à ce fameux voyage. Tu suivras mon idée, dis-tu… Eh bien! je n'ai nullement le désir d'aller à New York, ou aux États-Unis; pas même en Ontario. Et cela pour la double raison que d'anglais nous ne savons miette (cette ignorance nous met mal à l'aise, et ainsi gâte une partie de notre voyage). La deuxième raison est qu'aux *States*, on n'aura pas de tranquillité, puisque papa fait ce voyage pour nous être agréable tout en se reposant.

Donc ne parlons pas de *States*. Il vaut mieux voyager dans notre province: nous sommes chez nous, nous aurons la tranquillité, et Dieu merci! ce ne sont pas les beaux paysages qui y manquent: la région du bas de Québec est merveilleuse; la côte nord du Saint-Laurent en bas du Saguenay, la Gaspésie doivent l'être aussi; c'est pourquoi je conseillerai cela à papa, si jamais voyage il y a.

Oui, c'est une bien bonne chose que voyager; pourtant, est-ce si bon? Certes, cela acquière [*sic*] des connaissances; « Quiconque a beaucoup lu peut avoir beaucoup retenu », pour citer du La Fontaine comme toi. Pourtant il y a chose meilleure que voyager: les jours qui précèdent le départ, où dans nos imagina-

---

23. J'ai reçu ta lettre.

tions nous jouissons des Eldorados que bientôt nous nous figurons devoir visiter :

Ah que le monde est grand à la clarté des lampes !
Aux yeux du souvenir que le monde est petit[24] !

a dit Baudelaire, et c'est très vrai ; je trouve que le plus beau moment de mon voyage en Gaspésie, je le vis en ce moment : j'étudie ma carte ; je dresse l'itinéraire[25]...

Nous sommes plongés de ce temps dans la musique : ce soir concert par le professeur Jolicœur et ses élèves[26] ; demain soir et mercredi, nous assistons aux fameux concerts Bach-Verdi[27] sous la direction de W[ilfrid] Pelletier : des artistes du *Metropolitan* de New York font les frais du chant — pour billet, s'adresser à l'hôtel Windsor ; prix minimum $5,00. Nous sommes vraiment chanceux que ces deux concerts aient lieu dans notre chapelle. Bien que je sois bien ignorant en musique, je suis aux étoiles ; ça va nous ragaillardir pour les examens ; je crois que je les passerai en sifflotant, et *allegro moderato*, je crois (peut-être bien : *andante*).

Tu ne peux pas savoir ; les maringouins sont revenus. Ça te laisse froide, dis-tu ? Mais ma chère, c'est à ton goût ; moi je suis très content. Mais avant de te dire pourquoi je suis si content, il faut que je te dise de quelle manière j'ai appris que les chers maringouins sont revenus. Voici. Il devait être dix heures. J'étais couché depuis longtemps, mais la chaleur me refusait le sommeil. J'étais presque découragé de ne point dormir, quand tout à coup j'entends contre mon oreille : *ziiiiiii* — c'était, ma chère, un maringouin, oui un maringouin en chair et en os : quelle joie ! Je m'imaginais être au lac[28]... Le maringouin après avoir

24. Ces deux vers sont tirés de « Voyage », dernier poème des *Fleurs du mal*.
25. Le voyage en Gaspésie aura finalement lieu l'année suivante, à l'été de 1938.
26. Pianiste virtuose, Lucien Jolicœur fut professeur de musique dans quelques institutions montréalaises, dont le Collège de Saint-Laurent.
27. Du 8 au 10 juin 1937, l'Orchestre des concerts symphoniques présenta la *Messe en si mineur* de Bach et le *Requiem* de Verdi à la chapelle du Collège de Saint-Laurent ; les élèves purent assister aux répétitions générales.
28. Le lac Bélanger, près de Saint-Alexis-des-Monts. Le notaire Ferron y possédait un chalet, et ses enfants y séjournaient durant toute la belle saison. Voir, à ce sujet, *Le fils du notaire*, p. 83-84.

bourdonné quelque temps se posa sur ma paupière : « devrais-je l'écraser, me disais-je ? Non, me répondis-je, il faut que tu ressentes cette sensation qu'est la piqûre d'un maringouin, la sensation éveillera en toi d'autres sensations qui lui sont liées. » (Ceci que tu n'as guère compris, je gage, tu pourrais le comprendre si tu avais quelques notions de psychologie humaine ; je crois même que des notions de psychologie littéraire te suffiraient. C'est tout bonnement une preuve que les images cérébrales s'associent, soit en groupes, soit en séries.) Donc je me laissai piquer, et la piqûre éveilla naturellement d'autres sensations, qui me faisaient revivre notre vie du lac, me la faisaient aimer, me donnaient des projets pour cet été. Oui, mademoiselle, je possède un flot de projets en ma cervelle : entre autres, je veux faire un parterre, aménager la grève, enfin embellir notre villa, j'en ai déjà parlé à papa ; cela lui va. J'aurai un cheval, des pioches, des pelles, toutes sortes d'instruments, voire même un tombereau ou une machine analogue ; et puis j'aurai un auxiliaire : philosophe Hébert ; tu sais, le frère de Fernand [29] ; tu dois le connaître : j'espère que Fernand t'en aura parlé. Il est obéissant, on fera de la belle ouvrage, Dieu merci ! Mais ici, je t'avertis, ne sois pas trop coquette ; tu sais comme ces Hébert sont inflammables, tu tâcheras de te contenir, car je n'ai nullement le désir de travailler avec un amoureux. Mais revenons à nos moutons. Je crois que j'aurai à faire le plan des parterres ; je te demande conseil : faut-il choisir l'art paysagiste naturel ou l'art paysagiste artificiel ? Je ne sais trop lequel choisir. Ce que je sais, c'est qu'il me faut être original. L'art artificiel est plus facilement original : Baudelaire (as-tu lu ?) l'adorait. Par contre l'art naturel a plus de charme et de grandeur ; Allan Poe l'aimait bien. J'attends donc ton verdict, et sois sûre que tes suggestions seront reçues avec reconnaissance. En attendant cela, on pioche ferme, j'espère, à Lachine ; combien de prix ? Une dizaine au moins. Ici on se la coule douce : puisque Dieu donne la pâture au petit oiseau, le vêtement au lys des champs, il me passera bien

---

29. D'après Madeleine Ferron, « philosophe Hébert » et « Fernand » seraient une seule et même personne ; le premier serait une version « magnifiée » du second, Fernand Hébert, engagé pour aider Jacques à effectuer du terrassement autour du chalet d'été de la famille.

ma classe. D'ailleurs malgré ma paresse, je crois pouvoir avoir au moins quatre beaux prix. C'est beau pour un type qui ne fait pas grand'chose, mais il faut avoir une absolue confiance en la Providence.

Bon! bon! il faut que je me modère; je raterai ma composition de catéchisme, si je continue. Je m'excuse d'avoir été si bref. En attendant une lettre de toi, ou si tu m'oublies, de te revoir en vacances, je t'embrasse sur la bouche cette fois-ci, et longuement, et fortement, tout juste comme tu ne veux pas.

Jac

[18]

[Montréal, juin 1937]

Ma chère Madeleine,

Bonjour! Après un mois d'absence, je te reviens; et Dieu merci, tout contrit d'avoir été si paresseux; mais ce n'est pas tout à fait de ma faute, car figure-toi que depuis près d'un mois, je ne pense à rien; tu trouves cela drôle? C'est plutôt triste mais c'est bon, très bon: c'est un bourdonnement confus, endormant, qui fait que souvent on est obligé de s'appuyer le front sur son bras, et là de dormir tout discrètement sous le regard courroucé du surveillant d'étude. Oui, c'est une excellente manière d'être, puisque la vie est si méchante. Tu ne trouves pas? Moi je trouve: la vie, ma chère, quoi qu'on en dise, est une longue désillusion; c'est un bonhomme très bien qui a dit cela. Mais tout en étant une très bonne manière d'être, ça ne va pas du tout à mon grec et à mon latin, ni à ma correspondance, tu l'as remarqué, je crois. C'est pour cela que j'ai décidé de changer de régime: c'était la démocratie qui régnait chez moi, maintenant c'est la dictature, ou si tu le préfères, l'autocratie; j'ai pris la direction chez moi; quelle poigne j'ai! Par exemple, ce midi bien que je sois très las, je dis à ma plume et à ma tête de t'écrire; et c'est merveille; pas de révolte, pas même un murmure, c'est peut-être parce qu'ils aimaient d'avance t'écrire, mais c'est une preuve quand même que je suis maître chez moi de ce temps.

Je ne sais pas si je t'ai dit que je fumais la pipe? Oui, mais comment j'aime ça? Mais ma chère je trouve ça horrible; je ne veux pas te décrire toutes les sensations déplaisantes que j'éprouve en la fumant, car cela te blaserait à jamais de la pipe (car, tu dois savoir, ce sera bientôt mode chez vous, mesdames; d'ailleurs même si on ne te l'avait point dit, tu l'aurais certainement deviné, parce que les femmes dans leur manie de suivre les habitudes des hommes (pantalons, cigarettes…) n'ont oublié que la pipe; nécessairement elles ne l'oublieront pas cette année). Je te souhaite d'aimer cela; mais je n'aime pas cela comme je te l'ai dit plus haut; mais ce n'est pas un mal: la pipe finie, je prends une cigarette qui alors m'apparaît infiniment délicieuse: au fait, je te conseille les nouvelles *Grads* avec bout en liège: merveilleuses, ma chère!

J'ai vu papa jeudi; toi aussi, je crois; il m'a dit que tu n'as pas voulu sortir, pour ne point manquer ton étude: c'est héroïque! Moi ce n'est pas de ma taille, c'est pourquoi je lui dis que je l'accompagnerais, moi. Naturellement, on ne m'en avait pas donné la permission comme à toi; je monte donc chez le préfet pour tâcher de l'attraper; j'étais plein de bonnes dispositions; je l'aborde avec toute la politesse dont je suis capable, et lui demande la fameuse permission. Regard glacé, durement, le T.R.P. préfet me dit non. Si tu avais vu cette manière de refuser; pour t'en donner une idée sache que j'ai tiré mon miroir de ma poche, et je m'y suis regardé afin de voir si j'avais des cornes. Mais il ne se faut pas [*sic*] faire de bile pour ça, la vie n'est que déception comme je t'ai dit plus haut. Je redescendis donc au parloir, et papa fut obligé de s'embêter dans le parloir de mon adorable collège.

Il ne faut pas se faire de bile avec ça, dis-je. Oui, c'est vrai, mais j'ai souvent la manie de m'en faire quand même; bonne chance que l'on a la permission de fumer chaque jour: on étouffe ça dans la fumée; tu ne sais pas comment? Voici: tu prends une grosse bouffée, tu la respires profondément; tu répètes trois fois ou quatre fois; alors tu es obligée de t'asseoir et le bleu est reblanchi! Voilà.

Si je veux t'accepter cet été pour mes travaux? C'est une question troublante, déchirante pour moi, Madeleine: je suis tiré par deux motifs adverses; un qui dit oui et l'autre naturellement non.

Oui : tu le sais, c'est que j'aimerais beaucoup travailler avec toi, avoir tes conseils, subir tes réprimandes...

Mais il y a ceci que j'aurai un domestique : or ce domestique a le cœur fort chaud, et tu sais comme il est plate de travailler avec un amoureux ; figure-toi-le : au lieu de rouler mes roches, les yeux au ciel, ou sur toi, ruminant des madrigaux, des élégies ; tu peux comprendre tout le tort qu'ainsi tu pourrais causer à mes entreprises. Ainsi comme le fut Titus, comme le fut le Cid, j'ai l'âme déchirée et je suis

percé jusques au fond du cœur
D'une atteinte imprévue aussi bien que mortelle[30].

Mais le temps y remédiera sans doute : c'est pourquoi je ne te donnerai pas ma réponse aujourd'hui.

J'ai commencé à réfléchir sur la disposition de mes parterres : j'ai des idées qui sont passables : je veux faire cela simplement, sans profusion, enfin classiquement. J'aurai beaucoup d'ouvrage, semble-t-il : cet été je prépare les terrains (c'est le gros de l'œuvre). Cet automne, je ferai planter des arbres ; et le printemps (1938) les pelouses et les fleurs ; quant aux fleurs, d'ailleurs il n'y en aura que peu : disons deux ou trois espèces seulement : assez pour avoir des fleurs tout l'été, mais seulement une espèce à la fois. J'oubliais de dire qu'il n'y aura qu'une couleur aussi : le rouge peut-être, pour aller avec les toits du chalet. Mais je compte surtout sur les pelouses. Mais je ne puis t'expliquer tout ça. Enfin ce sera bien, j'espère.

Je veux travailler énormément cet été ; parce que quand je ne travaille pas, deux cents cigarettes par jour y passeront ; car tu sais je ne fume que par désœuvrement. Mais en travaillant, en ayant beaucoup d'ouvrage à abattre, en étant maître absolu, Dieu ! que je vais passer de belles vacances, et sans fumer, j'espère. Et quand je ne travaillerai pas à mes parterres, je ferai des excursions. Je verrai des lacs, des rivières, des bois, des... que sais-je ? Mais je serai occupé.

---

30. *Le Cid*, acte I, scène VII.

Elles sont magnifiques, mes résolutions, n'est-ce pas? Elles seront accomplies, Dieu merci!

Quant à toi tu me feras de bonnes choses à manger, car j'aurai grande faim durant les vacances. Il faudra aussi que tu me fasses de la musique, parce que, vois-tu, il faudra m'adoucir les mœurs que la rude vie que je mènerai durcira naturellement. Mais en attendant tout cela, il faut piocher sur les examens; du moins en apparence.

Tu n'aimes pas te faire rappeler que tu connais peu de choses? Mais connaître beaucoup de choses, ce n'est pas grand'chose, tu sais, très peu de chose — et il n'y a rien de honteux à se faire rappeler que l'on sait peu. Ce qui est honteux c'est de se faire dire que l'on pense mal; car ce qui est entièrement important c'est de penser; aussi dans les études que nous poursuivons on doit s'efforcer de se forger une bonne cervelle, et non se remplir la tête. Tu comprends? Tu comprends qu'il n'y a rien de fâchant à se faire rappeler que tu connais peu de choses.

Quant aux grands mots que tu ne connais pas, ne t'en occupe pas, car je t'avouerai que je les écris avec le malin plaisir de t'embêter. Et si je le faisais sans malice — eh bien! je serais pédant, car vois-tu, Madeleine, il faut toujours écrire pour se faire comprendre, et si je savais que mes lettres ne disent rien que tu puisses comprendre, eh bien! je les déchirerais. Voilà donc pour mes grands mots.

À propos des maringouins, je crois que nous en aurons énormément; il y a eu beaucoup de pluies ce printemps; or tu sais que les maringouins vivent à l'état de larves dans les eaux stagnantes; et comme d'eaux stagnantes, il doit [y] en avoir beaucoup, nous aurons beaucoup de maringouins; je puis me tromper, mais j'ai grand'chance de dire la vérité.

Tu comptes les jours qui nous séparent de la sortie; mais c'est maladroit, ce que tu fais là; car tu allonges considérablement ton attente; je ne compte pas les jours, et je fais tout mon possible pour ne pas penser aux vacances; ainsi les jours passent très vite et le 18 au matin je serai tout surpris que ce soit déjà la distribution des prix. (C'est un peu exagéré, ne trouves-tu pas?)

Papa vient à ma distribution ; à moins que la tienne n'ait lieu aux mêmes heures (avant-midi du 18) ; alors ce serait à tout seigneur tout honneur. Pourtant... en tous les cas j'aurai des prix moi aussi, peut-être autant que toi ? Non, parce que j'ai trop paressé ; ou plutôt trop lu. En attendant ce jour fameux, ou paraît-il je pourrai t'embrasser, je te salue, je t'embrasse X X X tout ce que tu voudras enfin — j'y regarde peu moi, car je suis fatigué fatigué de t'écrire, vilain bourreau !

Mademoiselle, cette lettre vient de monsieur Jacques Ferron, lequel vous demande de lui répondre sitôt sa missive lue. Si vous le trouvez exigeant, gardez-le pour vous, et dussiez-vous couler votre Thème latin, il faut que vous lui répondiez.

Retour au Collège Jean-de-Brébeuf
1937-1941

Réadmis au Collège Jean-de-Brébeuf en septembre 1937 (classe de Belles-Lettres), Ferron y poursuit ses études jusqu'en février 1941, date à laquelle il est de nouveau expulsé. Entre-temps, ses sœurs Marcelle et Thérèse sont venues rejoindre Madeleine au couvent de Lachine. Paul Ferron, quant à lui, est inscrit au Brébeuf avec son aîné.

[19]

[Montréal, 25 octobre 1937]

[À Madeleine]
Ma chérie,

J'ai bien tardé à te répondre, à répondre à ta si gentille et si originale lettre; j'en suis bien peiné, j'en suis fort marri, et c'est en te suppliant de me pardonner que je te réponds. Je te prie toutefois de ne me point donner une trop dure pénitence, parce que vois-tu, chérie, depuis quinze jours j'ai eu beaucoup de travail, je travaillais tant que j'avais la tête, ou plutôt la cervelle plate, plate et très sèche; c'étaient des théorèmes de géométrie et des fragments d'*Iliade* qui y tournaient, viraient, et si vite que je craignis certains soirs d'être fou. Donc depuis quinze jours, je ne pouvais t'écrire convenablement...

Je sais que ce n'est pas là une raison majeure, et c'est pourquoi, madame, j'attends votre pénitence, que j'accomplirai bien humblement. Mais il faut te dire que j'ai bien hâte de voir à quoi tu me vas condamner. J'ai hâte de connaître le supplice que votre tyrannie féminine m'infligera, madame, mais je vous le répète, c'est avec humilité et repentance que je le souffrirai, madame.

Je le souffrirai avec repentance, et aussi avec le lointain espoir que votre cœur devienne plus chaud pour moi, que vos yeux se posent sur moi avec plus de condescendance ; car j'ai l'âme brisée, madame, du peu d'intérêt que vous avez donné à mon humble personne, cet après-midi, alors que j'avais l'inestimable honneur et bonheur de vous apercevoir ; vous ne m'avez regardé que deux ou trois fois, et parlé qu'une fois et demie, et vos baisers étaient si froids, si durs que j'ai senti mon cœur se broyer.

Madame, vous voyez à quel point je tiens à votre amitié, vous voyez à quel point je suis votre humble serviteur.

Je te trouve, ou plutôt je trouve naturel que tu n'aimes pas à être JEC [31] ; je regardais ton profil orgueilleux, cet après-midi, et me disais que tu n'as pas la tête qu'il faut pour être jéciste ; être jéciste, c'est être bon enfant, un peu imbécile et sans prétention, c'est être tout d'une pièce, et ne pas hésiter à agir comme l'on pense. Toi, comme tu es orgueilleuse, comme tu as le sens des choses, tu ne peux être JEC. C'est malheureux.

À propos, sais-tu que je ne suis pas jéciste ; tu ne savais pas ? Tu aurais dû deviner ; car plus que toi je suis extrêmement orgueilleux, indépendant, et individualiste. C'est une autre chose malheureuse.

En excusant cette lettre un peu hâtive, en excusant toutes les bêtises qui s'y sont glissées, en te souhaitant de bonnes vacances, et en t'apprenant la mort dans l'âme qu'Arthur [32] est parti pour les chantiers, et que Fripon [33], Dieu merci ! est en bonne santé.

Je t'embrasse, chérie,

Jac

---

31. Madeleine Ferron fut brièvement membre de la Jeunesse étudiante catholique, écrit-elle, « pour répondre aux exhortations de notre maîtresse de salle que j'aimais beaucoup » (lettre à Marcel Olscamp).

32. D'après Madeleine, il s'agirait ici de Fernand Hébert, dont il a déjà brièvement été question (voir lettre [17], reproduite p. 50).

33. « Après l'éloignement de ma mère, me demandait-on le nom du chien qu'elle avait baptisé Fripon, je m'en trouvais gêné, je répondais Rover. Ma mère subsistait

[20]

[Montréal, décembre 1937]

Ma chère Madeleine,

Je t'écrivis, voilà quelques semaines, une lettre à laquelle tu aurais pu répondre par convenance; moi ça m'est égal que tu me répondes ou non, car tu sais comme je te déteste!

Je t'écris encore aujourd'hui; ne va pas t'imaginer que j'écris pour toi; oh non! car je n'écris que pour écrire. Et je suis très sérieux, ma chère petite sœur!

Tu ne peux pas t'imaginer dans quelle galère je suis enchaîné. Écoute: voilà une semaine, je reçois une lettre; je me dis: ce doit être cette oublieuse de Madeleine; non, c'était une carte où l'on me félicitait de mon résultat du mois; je répondis, j'y étais obligé; mademoiselle me répond aussitôt, et je dois répondre de nouveau; quel engrenage! Et ce sont des lettres d'au moins quatre pages, et de qui! de mademoiselle Marguerite Plourde[34], grand bas-bleu de Louiseville; moi, ça me rend bête, ces personnages; que leur dire? Rien d'autre que ce qui peut leur plaire, que de l'artificiel, de l'esprit, du pédantisme, du frelaté. Ça vit pour l'art, alors que l'art doit nous faire vivre, nous élever; il faut rapporter l'art à soi, et nous rapporter à l'art. Enfin que je dise quoi que ce soit de plus ou moins bête, je n'aime pas du tout le bas-bleu qui m'oblige à correspondre avec lui; que faire? être impoli? impossible. Chère Madeleine, prie pour que j'en sois sauvé.

J'écrivais cela dans le dernier cinq minutes de l'étude d'hier soir, donc en grande course, et sans avoir pensé à ce que j'écrivais; excuse donc tout ce qu'il y a d'outrance et d'emballage. En réalité, je ne hais point correspondre avec mademoiselle Plourde,

---

comme une divinité dont la langue était trop belle pour avoir cours» (Jacques Ferron, «Le Chichemayais», dans *La conférence inachevée, Le pas de Gamelin et autres récits*, préface de Pierre Vadeboncœur, postface de Ginette Michaud, édition préparée par Pierre Cantin et Marcel Olscamp, Outremont, Lanctôt éditeur, «PCL/Petite collection Lanctôt» n° 8, 1998, p. 112).

34. Marguerite Plourde, amie de Jacques.

parce que j'écris mieux qu'elle ; mais à part cela ça ne me donne aucune joie, et même ça m'embête de savoir que mes efforts de simplicité et de sincérité soient jugés de façon pédante.

Mais laissons cela ; je crois que je vais m'acheter une des petites pièces de Debussy sur disque ; comme *La mer*, *La cathédrale engloutie* ; c'est merveilleux ma petite !

Si tu as la bonté de me répondre, dis-moi ce que tu penses de mon achat de disques.

Quand tes vacances ?

Je t'embrasse,

Jac

[21]

[Montréal, décembre 1937]

[À Madeleine]
Chère sœur,

Je ne comprends pas que le pensionnat puisse te lasser, car je le trouve charmant ; il nous défend tout souci autre que l'intellectuel. Certes lorsque nous l'abordons il nous blesse souvent, mais à la longue on devient habitué ; on oublie un peu tous les êtres, son grand frère dont on est séparé, et l'on s'absorbe aux mille petits travaux qu'on nous donne à faire ; j'aime beaucoup à faire un devoir, surtout lorsqu'on a de l'aisance ; c'est seulement en cela que j'en ai. Je te dirais bien ce que j'entends par aisance mais je ne serais pas très clair ; disons que c'est dans la confiance qu'il se développe, qu'il approche de la grâce…

Passons à autre chose. Évidemment, j'estime beaucoup le frère Marie-Victorin en tant que savant, en tant qu'un sérieux botaniste qui nous a donné de la province une *Flore* presque définitive. Quant à ses contes laurentiens [35], ils ne sont pas renversants. Ne les lis que dans quelques années ; ainsi de toute littérature canadienne.

---

35. Allusion aux *Récits laurentiens* (1919) ou aux *Croquis laurentiens* (1920), recueils de nouvelles du frère Marie-Victorin.

Nous sortons le 23 aussi, mais qu'à trois heures. J'ai quelque hâte des vacances. Je ferai beaucoup de ski ; s'il peut nous retomber de la neige !… Autrement j'aime autant ne pas avoir de vacances.

Recevez, mademoiselle, mon expression du grand sentiment que j'ai pour vous,

Jac

[22]

[Montréal, janvier 1938]

Madeleine,

Je te félicite d'avoir dépouillé mon nom d'une vaine épithète ; je t'imite, et j'écris ton nom sans l'attifer, lui laissant sa pleine reconnaissance : « Madeleine », tu ne peux t'imager la sensation que ce mot me donne ; tu fais de même pour le mien. Nous sommes charmants l'un pour l'autre !

Je ne te félicite pas d'avoir tant d'enthousiasme pour un métier que tu ne connais pas encore ; je te féliciterai plus tard si tu le mérites. En attendant prends garde de ne faire comme Tartarin [36] qui partait fort enthousiaste, même plus que toi, à la chasse au lion ; il ne revint qu'avec un âne. Heureusement tu ne ressembles à Tartarin qu'en son enthousiasme ; autant il avait une écriture pompeuse, autant la tienne est minutieuse. Tu as des chances de rapporter plus qu'un âne ; ça te ferait un passe-temps fort agréable en attendant ton mariage, alors que pour Marcelle, qui sera décidément une gentille vieille fille, ce lui sera une manière d'époux ; tu lui diras cela à ta manière, tu ne lui montreras pas la lettre, tu riras en la lisant. Tu lui diras que je me ris d'elle, tu la feras fâcher ; dis-lui par exemple (après qu'elle m'aura envoyé sa liseuse) que je ne lui fais point de cadeau, qu'elle n'aura de moi qu'une lettre, une lettre que je ne lui écrirai que quand elle aura quinze ans ; qu'en sa quatorzième année elle fut trop niaise pour que je prenne la peine de lui écrire…

36. Personnage de la trilogie romanesque d'Alphonse Daudet : *Tartarin de Tarascon* (1872), *Tartarin sur les Alpes* (1885) et *Port-Tarascon* (1890).

Je lui enverrai un livre que Lavigne[37] est à relier en cuir : *Port-Tarascon*; c'est très amusant. J'eusse cependant aimé lui envoyer un autre livre, plus jeunes filles, mais je ne l'ai pas pu trouver aux librairies; ce sera pour plus tard.

À toi bientôt je t'enverrai un roman de Chesterton dont la scène initiale représente un cousin qui fait de la peinture avec sa cousine[38]; l'un et l'autre n'ont [pas] de prétentions : le cousin peint de grandes toiles avec un large pinceau; il est tout barbouillé de couleurs; la demoiselle (qui devait avoir une écriture minutieuse) est toute propre et peint à la miniature. Je pense que je dessinerai aussi bien que toi lorsque tu m'auras fait profiter de tes leçons.

Je vous enverrai mes portraits pour la fin de la semaine; tu aurais pu garder celui que tu m'as envoyé : que veux-tu que j'en fasse? D'autant plus que je pourrais avoir l'air plus intelligent : on dirait que je n'ai pas d'yeux, mais une longue figure, un long menton, une grande bouche qui se force pour rire. Décidément tu sembles tenir à me voir sous mes pires angles; sois plus sympathique pour ton frère, Madeleine. Et qu'importe qu'il serait [*sic*] bien, que veux-tu que j'en fasse; que ferais-tu si je t'envoyais ta photo? Dans un miroir tu te vois plus naturel que sur aucune photo. Enfin l'apparence est secondaire pour moi; au collège, je n'aurais pas d'oreilles, pas de dents, de cheveux, le nez de Marcelle que je serais aussi heureux. Enfin tu dois trouver que je parle beaucoup sur une chose insignifiante; c'est que je ne sais plus quoi dire; ces mortels examens nous assèchent.

Je vous fais la révérence, Madeleine, et je vous supplie de m'écrire encore avec votre gentille écriture de souris.

Jacques

---

37. Jacques Lavigne, confrère de classe et grand ami de Jacques Ferron.
38. *The Return of Don Quixote* (1927). Paru en français en 1928 sous le titre *Le retour de Don Quichotte*.

[23]

[Montréal, janvier 1938]

Ma chère Marcelle,

Je me demande si je dois te faire des souhaits après que tu aies cru bon de ne m'en point faire[39] ; sans doute la raison est que tu me trouves parfait et qu'on ne peut rien souhaiter à qui l'est ; tu es bien gentille, mais tu l'eus plus été si tu m'avais envoyé un présent quelconque qui m'eût définitivement assuré de ta soumission, ou plus justement de ta dépendance à ma perfection ; ainsi immolait-on à Jupiter un veau blanc taché de noir sur le museau.

Je voudrais bien me passer de te faire des souhaits, mais je ne puis pas, je suis moralement obligé de te nier toute perfection ; aussi dois-je t'offrir des souhaits qui te mèneront d'année en année vers ce sommet d'où je siège. Cela me plaît car je n'aurai ainsi aucun présent à te faire : sacrifie-t-on un veau blanc taché sur le museau à un être qui ne soit pas parfait ? Jamais, car ce serait de l'idolâtrie, ce qui méritait jadis d'avoir le nez coupé ; ce serait folie, car l'imperfection est le fugitif, le corruptible, le chemin de la mort.

En quoi es-tu imparfaite et par là te destines à périr ? En ceci précisément que tu avoues d'ailleurs : que tu n'es pas capable de te faire à l'esprit du couvent, que tu juges tes compagnes et aussi un peu tes maîtresses ; d'abord celles-ci, il faut que tu te convainques qu'elles sont parfaites, que ce qu'elles disent l'est ; autrement si tu juges l'autorité actuellement tu la jugeras toujours et tu seras ainsi une anarchiste ; tu sapes la société, quelle horreur ! et tu te rends malheureuse ; il faut que l'autorité te soit parfaite, autrement sur qui te fieras-tu ; tu seras obligée de tout ramener à toi, tout juger ; c'est très fatigant, et qui est fatigué est triste. Il est bien mieux de s'abandonner à la parole parfaite de l'autorité parfaite, ne rien discuter, ne rien juger ; tu seras alors très heureuse, aussi heureuse qu'une plante qui n'a qu'à fleurir au printemps, à fructifier en été, à s'emmitoufler en automne pour dormir en hiver.

39. L'anniversaire de naissance de Marcelle Ferron est le 29 janvier, soit quelques jours après celui de Jacques (21 janvier).

Quand on est dans un groupe, il ne faut pas être autre que celles qui en font partie, ni ne rien penser qu'elles ne puissent ni n'aient pensé. Ainsi je te souhaite d'être avec tes amies.

Mais surtout ce que je te souhaite c'est de ne pas lire, ni de rêver à quoi que ce soit ; la lecture et le rêve nous entraînent hors du cercle où l'on vit, nous font ressentir des émotions, penser des idées dont jamais tu ne te serviras à Louiseville. Tu te crées un monde inaccessible.

Donc je te souhaite de ne juger personne, de ne rêver à rien que tu ne puisses faire : tu peux rêver au joli gâteau que tu feras à ton mari, mais non rêver à ton passé par exemple...

Réalise cela et tu seras parfaite, c'est-à-dire heureuse ; mais je me demande si tu seras aussi gentille que tu l'es ; bien sûr que non ; mais tu épouseras le notaire Béland, disons, et tu le trouveras charmant.

Un beau bec,

Jacques

Je te donnerai un livre que Lavigne est à relier.

[24]

[Montréal, février 1938]

Mes chères petites,

Vous pouvez imaginer mon allégresse lorsque Marguerite me téléphona aujourd'hui qu'elle alla vous voir dimanche après mon départ ; j'en aurais brûlé mon chapeau si j'eusse su que le hasard si favorable en eût été ravi ! Dans quelle galère j'eusse été : faire ma cour devant vous m'aurait obligé à sortir de mon indolence, à lui parler spectacle puisqu'il me faut un climat plus subtil que le sien pour sortir de ma pédanterie ; puis j'aurais été obligé de l'amener souper avec les deniers de Paul [40]. J'en eusse été énervé pour la semaine. Cette petite Marguerite ne m'intéresse pas le moins du monde ; n'étant pas

---

40. Paul Ferron, frère cadet de Jacques, avait rejoint son aîné comme pensionnaire au Collège Jean-de-Brébeuf.

de même formation que moi, aimant autant le sérieux, l'acquisition intellectuelle que j'aime la gratuité, il me faut faire trop d'efforts pour me faire comprendre. Et elle fait si peu rêver! Lorsqu'elle me téléphona et qu'elle se dit Margot, «Ah c'est vous ma tante, dis-je, comment allez-vous?». Elle ne savait pas trop quoi répondre; heureusement je m'aperçus de ma méprise pas trop tard. C'est très drôle, n'est-ce pas? Et pas très drôle, car c'est une si bonne petite fille; elle va faire une si parfaite vieille fille. Je l'estimerais beaucoup si elle me laissait dans la paix. C'est si ennuyant de se heurter aux autres, dire des mots pour se faire comprendre; le commerce le plus doux est un échange de sourires, une compréhension sans mots. Comme c'est rare, alors je me plais seul et je préférerais demeurer dans la rue, quitte à me faire penser volé, plutôt que de m'introduire dans cette assemblée! C'est assez touchant, mais fort peu utile.

J'espère que vous avez reçu la revue et les volumes, et qu'ils ont préparé une acoustique favorable à la lecture de cette lettre; vous recevrez cette semaine deux autres volumes, tous deux romans très gentils, un Chesterton à Madeleine, *Le Grand Meaulnes* à Marcelle; je vous ai recherché des biographies, mais n'en ai point trouvé; d'ailleurs, je ne crois pas que l'on lise pour se bourrer la tête d'anecdotes, mais pour se rendre plus gentille, plus compréhensive; avant de se discipliner soit selon les exemples des grandes dames, soit aux règles de bienséance, intellectuelles, spirituelles, il faut avoir matière à discipliner; il faut avoir la compréhension de tout; et je ne sache rien de plus salutaire pour cela que le roman. Valéry a écrit: l'ordre suppose un désordre antérieur. Autrement on est perroquet, on a des manières pour avoir des manières... etc.

Je fais un peu le bonze, toutes mes excuses. Écrivant un peu rapidement, je ne peux atteindre à la clarté agréable dont je rêvais. J'ai hâte de recevoir le fameux article de ma sœur Madeleine[41]. Je t'en donnerai mon impression. Écrivez-moi, ça me fait bien plaisir. À Marcelle je souhaite que sa vilaine grippe s'en aille, fût-ce aux dépens de la prospérité de cette bonne Madeleine.

Trois becs à chacune,

Jacques

---

41. Il n'a malheureusement pas été possible de retrouver cet article.

[25]

[Montréal, février 1938]

[À Madeleine]
Ma chère petite,

C'est une fameuse de galère que les examens que je passe incessamment ; ce n'est pas qu'ils ne soient intéressants, au contraire ; et qu'importe ils ne le seraient pas, j'ai l'art de m'y intéresser. Mais il faut les apprendre pour telle date, et c'est en quoi ils me font galérien ; je ne rame que lorsqu'il me plaît, mais souvent malgré ma lassitude ; oui, c'est une fameuse galère.

Je me plains, mais je me demande ce que je ferais sans ces contraintes, dans quelle paresse je m'envaserais. Il faut toujours faire attention pour ne rien exagérer et ne jamais prendre son humeur au sérieux ; quel de nos amis n'aurions-nous pas éclopé si, dans les discussions sur les choses les plus indifférentes du monde, nous eussions laissé notre colère le convaincre de sa bêtise. Nous avons une même constitution que ces clercs du Moyen Âge, disciples de professeurs ennemis, qui laissaient ainsi à la force le soin de convaincre. Nous sommes plus raisonnables, nous avons plus de culture derrière nous, nous avons lu Molière, et nous craignons trop cette humeur qui est à la source du ridicule et de toutes autres convulsions, pour y tomber facilement. Tu hausses les épaules, tu me dis que je ne suis guère mes principes, et tu me fais relire mes premières lignes ; je vais te dire encore que je ne savais pas trop par où commencer. J'ai écrit ce que ma nature me conseillait, et ce fut bête. Par désœuvrement je m'abandonne souvent à ce que mon assez bon jugement me condamne ; je m'y abandonne comme ce dîneur fixé sur un plat de poulet qui discute avec le valet sur la saveur du canard. La comparaison vient mal, mais pourvu que tu comprennes. Tu comprends ? Ah ! tu es charmante ! moi qui t'écrivais ces réflexions pour tellement t'ennuyer que quelques mots gentils suffiraient à te convaincre de mes sentiments fraternels. C'est si difficile dire des sentiments parce qu'ils ont de la puissance, ils peuvent blesser, ils demandent un doigt souple, et le mien frappe deux notes à la fois. Tu sais, ce sont de piquantes entreprises que les sentiments ; je les laisse dans mes armoires comme des explosifs dont on se sert rarement; j'en sortirai deux ou trois lorsque je ferai ma demande à la choisie de mes amies pour m'épouser. En attendant cela, je leur parlerai littérature et musique; c'est si inoffensif! Comme je te fais de graves considérations contre nos humeurs. On n'a jamais entendu dire que deux amis se soient brouillés pour un jeu de dominos.

Je ne savais trop quoi te dire de gentil, ni employer la manière d'écrire que tu aimes, et que je trouve un peu trop facile; je suis très rigoriste, tu sais; je ne jure plus que par Valéry. Ainsi je restreins à deux les baisers que Marcelle te donnera de ma part et vice versa.

Jacques

[26]

[Montréal, février 1938]

Ma chère Madeleine,

J'espère que tu ne me reprocheras pas de tarder à exécuter mes promesses : je t'envoie un roman anglais, comme c'est la coutume que j'ai adoptée pour toi; après Chesterton, voici Eliot [42] qui est peut-être la plus grande romancière qui soit. J'ai lu d'elle *Silas Marner*; je ne lui connais pas dans la littérature française d'équivalent; Balzac même n'a pas cet art de laisser se dérouler spontanément l'intrigue, la vie, etc. *Meaulnes* est le roman le plus charmant que je connaisse.

Je serai franc avec toi relativement à ton article, ma petite Madeleine; il ne vaut pas grand'chose; je préfère de mille fois ce petit billet qui l'accompagne où tu me dis simplement ce que tu as à me dire. Pourquoi tant de rhétorique pour dire que tu es canadienne-française et que tu veux vivre en Canadienne française. Si je ne te connaissais pas sensée, gentille, mauvaise, dévouée, je dirais mon Dieu quelle petite folle que cette Madeleine Ferron! Tout ce que tu as de bon en toi, pourquoi le mettre de côté quand

---

42. Sur les lectures anglaises de Ferron, voir l'article de Ginette Michaud, «Lire à l'anglaise», dans *L'autre Ferron*, sous la direction de Ginette Michaud, avec la collaboration de Patrick Poirier, Montréal, Fides-Cétuq, «Nouvelles Études québécoises», 1995, p. 137-197.

tu écris : tu aurais pu dire quelque chose de sensé ; par exemple tu aurais pu imaginer comment sera ta vie de dame plus tard, dirigeant ta maison, rêvant sur un roman, prenant le thé avec tes amies, recevant des revues françaises ; tu aurais pu imaginer discrètement maman ! C'est ainsi que tu seras canadienne-française, et non en encourageant « L'achat chez nous[43] » ; je t'ai dit ce que j'en pensais ; pourquoi tous ces attirails ? Tu dois sentir le factice de tout cela, de toutes tes protestations ; tu reprends les lieux communs de la mauvaise littérature patriotique.

Je ne comprends pas qu'on vous donne de tels devoirs ; on vous ôte le goût d'écrire en [vous] lançant dans une voie dans laquelle vous ne pouvez pas être simples, naturelles, dire des choses qui soient vôtres. Il faudrait vous faire utiliser ce que vous avez de sensé, de gentil ; par exemple vous donner des sujets de narrations tels ceux-ci : malheurs de poupée, premier voyage… etc., qui vous apprennent à vous connaître, à prendre conscience de vous-mêmes. Apprenez à tout repenser par vous-mêmes ; toi tu ne fais pas cela, tu ne repenses rien par toi-même. Donc, si j'étais toi, je tournerais dos à cette littérature qui te vaut l'honneur d'être publiée dans *JEC* dont je t'ai dit mon idée. « Mon verre n'est pas grand, mais je bois dans mon verre[44] », dit Musset. Retire-toi dans toi-même, écris des choses qui soient tiennes ; surtout change de style ; ne fais pas la petite l'abbé Groulx, la petite patriotique. Écris sèchement ce que tu as à dire, même moins que ce que tu as à dire ; fais des brouillons ; ne crois pas à l'improvisation. Et peut-être pour toi la meilleure manière d'être française c'est de rire de nos ancêtres buveurs d'alcool, de toute cette niaise littérature nationale ; ne réponds pas à cet innocent de l'Ouest ; lis de la bonne littérature française.

Voilà prestement ce que je pense, ce que je te conseille ; crois que je t'estime beaucoup pour cet essai ; tous nous commençons par là.

Un bec,

Jacques

---

43. Allusion aux campagnes de « nationalisme économique » mises sur pied par les élites de l'entre-deux-guerres.

44. Cet alexandrin se trouve dans la « Dédicace à M. Alfred T*** » qui précède *La coupe et les lèvres*, poème dramatique de Musset.

[27]

[Montréal, février 1938]

[À Marcelle]
Ma petite sœur,

Je suis toujours un peu gêné lorsque je t'écris, car je me sens tenu d'être simple, naturel comme je le puis, et de fuir cette érudition que j'ai acquise à la lecture et que je sers sans remords à ma chère Marguerite qui d'ailleurs la goûte plus que toute phrase savoureuse un peu, sans prétention que j'intercale parfois entre deux maximes pédantes.

Il est beaucoup plus facile de lire des biographies, d'accumuler des fiches, de se faire un « cerveau de papier » que de penser tout par soi-même, simplement, avec son bon sens, sa gentillesse. Qu'il est bon, lorsqu'on est un peu fatigué de ses amis, qui certes sont de bons diables, mais un peu trop superficiels, de se retirer seul, de lire les bons auteurs qui rendent plus humain, qui font penser, qui font rêver ; les livres sont des amis fort résignés qui conversent avec vous lorsqu'il vous plaît ; mais il faut lire sans contrainte, sans ambitions, lire pour son plaisir ; comme tu es intelligente ton plaisir te mènera vers la meilleure littérature, et du *Grand Meaulnes* tu passeras à Baudelaire disons, et lorsque tu pensionneras avec moi, étudiants l'un et l'autre, tu seras une gentille lettrée qui fréquentera les meilleurs milieux, avec de charmants amis comme Jacques Lavigne qui t'expliquera alors la philosophie de Bergson, de saint Thomas si tu en as la curiosité. Je crains qu'il ne se fasse moine ce bon Jacques ; ce sera triste un peu pour moi, mais il fera un si bon confesseur : « Ma fille, dira-t-il (j'imagine), allez vous n'êtes pas grande pécheresse ; ces petites fautes vous les expierez en relisant les lettres de madame de Sévigné... »

J'ai bien hâte d'être libre du pensionnat ; j'imagine déjà ma chambre ; elle sera grise peut-être, avec une grande reproduction d'une tête de Vénus (ce pourrait aussi bien être la tête de sainte Jeanne d'Arc ; le titre n'a aucune importance, mais l'œuvre), de Botticelli, une autre de Vinci, d'Ingres, de Picasso sans doute ; des reproductions sans couleur ; mes livres seront reliés en cuir, mon papier sera princier ; je me trouverai quelques fauteuils

Louis XV qui favorisent la conversation ; j'ai horreur de ces fauteuils bas, où l'on enfonce, d'où l'on ne peut se relever sans effort ; Marguerite en a un ; eh bien ! je ne puis faire un geste (car elle est près de moi) je suis lié, tel ce bon Titan que Jupiter lia aussi, et de bon qu'il était devint méchant ; si tu es mal à l'aise dans ton corps, tu le seras dans ton esprit ; c'est une loi fondamentale ; Bossuet qui éleva le Dauphin en fit un imbécile, parce que le pauvre petit était obligé d'écouter le cours de ce grand niais debout ; si tu es triste ton visage est triste ; si tu riais ta tristesse s'en irait. J'en conclus que la santé t'est nécessaire si tu ne veux pas être sotte. Travaille avec aisance ; ne te courbe pas dans une posture de contrainte sur ton bureau lorsque tu lis ou écris ; mais tiens-toi bien droite, traite ton devoir, ton livre avec un air de condescendance, daigne les gratifier d'un sourire amusé, mais ne va pas te pencher sur eux avec inquiétude.

Je me trouve et tu dois me trouver drôle avec mes conseils ; comme si j'avais beaucoup d'expérience : « J'ai plus de souvenirs que si j'avais mille ans[45] » !

[28]

[Montréal, février 1938]
Mercredi

[À Marcelle]
Ma chère petite,

Je viens de recevoir ta carte et me sens fort aise d'y répondre. Contrairement à cette longue lettre que tu dus recevoir ces derniers jours, et qui n'était qu'un long monologue où j'étais obligé de te dire des idées que j'avais ; mais voici que cette petite carte me parle et je réponds simplement, sans me sentir l'attitude d'un béni qui parle seul.

D'abord deux observations. Tu écris beaucoup trop vite, tu oublies des mots ; je doute que tu aies beaucoup de plaisir à écrire

45. Premier vers de l'un des quatre poèmes des *Fleurs du mal* (n° LXXVI) intitulés « Spleen ».

ainsi. Je suis un peu comme toi ; mais depuis quelque temps je m'applique à écrire posément, et j'ai beaucoup plus de plaisir à écrire. Tu fais des fautes épouvantables. Je sais que je ne suis pas en position de te dire cela, parce que j'en fais moi-même, mais je crois que tu peux en tirer profit. En second lieu : tu me laisses dans l'ignorance du sort de mes deux bouquins.

Jacques Lavigne, auquel je contais une de tes bêtises (faute de n'avoir rien d'autre à conter !) te conseille la diplomatie, qui te donne beaucoup plus de liberté que si tu cèdes à tes impulsions, si tu dis ta façon de penser ; tu n'es pas encore à l'âge où elle a grand poids.

Tu es d'un jugement très juste, et tu vois très bien les exagérations. Cependant lorsque tu auras quelque peu conversé, tu verras que devant certaine exagération on est porté à tomber précisément dans son opposé ; c'est que nous sommes encore des esprits jeunes qui n'ont pas acquis complètement le juste milieu.

J'avoue que « buveurs d'alcool », l'expression est un peu trop forte, si tu la prends dans un sens péjoratif, comme tu sembles l'avoir prise. Je veux dire que ce sont de braves gens, sans prétention, qui se réjouissent souvent ; comme ils ne sont pas très raffinés, ils prennent différents moyens dont l'alcool. C'est assez juste, il me semble, et ce n'est pas si mal : rien de plus détestable qu'une prématurée sagesse. Nos ancêtres comme nos paysans actuels sont de bons enfants ; ils sont une base très solide sur laquelle la culture peut être édifiée. Mais il ne faut pas leur donner trop d'importance ; ils n'en ont que dans la culture d'élite qui peut y prendre vie. Je suis un peu pédant, mais je serais très heureux si je pouvais te garder de ce patriotisme qui pose à notre gloire, ces paysans très aimables j'avoue, mais sans importance… Je m'arrête ; je vais répéter, j'écris trop vite. Je trouve déplorable qu'on vous interdise d'autres lectures que celles qu'on vous fournit et qui ne valent pas grand'chose à ce que j'en vois.

Mes hommages à Madeleine. Qu'elle m'écrive.

Becs,

Jacques

[29]

[Montréal, février 1938]
Samedi

[À Madeleine]
Ma chère petite,

Mais non ! il ne s'agit pas de petitesse d'esprit ; je n'ai jamais pensé cela, je n'ai jamais voulu dire cela ; j'ai voulu dire simplement que je ne voulais pas que mon appréciation t'ôte le goût de m'écrire. Et justement c'est ça qui arrive ; tu me l'apprends dans une très belle lettre ; je ne te jette pas de vaines fleurs, je ne suis pas le seul à le penser. Mais une lettre qui frappe mal.

D'abord ma petite, si tu savais combien je tiens peu à mes idées ! Lorsque tu me lisais, pourquoi ne me voyais-tu pas qui en riais un peu ? Ma façon paradoxale de les exprimer, ces pauvres idées, ne te le disait donc pas ? Tu as noté deux mots : le premier, « Bossuet, cet idiot »… mais je tiens Bossuet pour le meilleur styliste français au sens large du mot. Le second sur nos ancêtres ; j'ai expliqué à Marcelle, tu as sans doute lu la lettre.

Je suis totalement d'accord avec toi qu'il n'est rien de plus désolant que le factice ; tu seras d'accord avec moi que rien n'est plus doux qu'un sourire. Je suis très seul, tu sais. Ce n'est pas que les amis me manquent, mais l'amitié de jeunes hommes qui dans deux ans se sépareront, retourneront dans leur milieu, est nécessairement limitée par une certaine indépendance ; de sorte que je n'ai d'ami que moi-même ; je m'amuse à mes entreprises ; je souris de mes tristesses. Je fais mille petits jeux en ma compagnie, des vers. J'écris même un journal (que je déchire après peu de temps ; je suis très insatisfait de moi ; ne me fais pas pédant trop !). Je t'en transcris quelques lignes qui intéressent notre conversation : « J'aime beaucoup aller dans la foule, parce que anonyme je suis très libre ; je n'ai pas besoin de parler, d'être incomplet ; je suis libre, je m'amuse des passants ; j'aime tel type ; je lui souris, il arrive qu'il me sourie ; pas besoin de paroles où je perds tout avantage, où je ne brille pas ; seulement qu'à [*sic*] sourire, pour éprouver je ne sais quel contentement. Je suis pur de ce Jacques qui n'aime pas Mauriac ». J'ajouterai « qui dit ses ancêtres buveurs d'alcool heureusement en souriant et dans un sens qui n'est pas littéral».

Nous ne sommes pas en désaccord. Je ne suis pas Jacques 1937. Il n'y en a jamais eu. C'est toi qui l'as créé. Ou mieux. Tu me prenais au mot, les circonstances m'écrasaient.

Si j'eusse réfléchi, je ne t'aurais rien écrit de ton article, je t'en aurais parlé à la première occasion ; m'aurais-tu répondu aigrement comme tu as fait ? Non, tu n'aurais pas aimé mieux que de convenir de la justesse de mes observations qui en eussent été abrégées. Ne pense pas que je t'écrivais «avec enthousiasme» lorsque j'eus lu ton article. Ne pense pas que tu y apparaissais «charmante». J'ai critiqué ton article comme j'ai pu, je ne pouvais guère t'écrire une «charmante missive». Tu en as tiré profit, tu aurais pu en tirer profit, et les idées que je t'ai émises, bien qu'elles tiennent peu de place pour moi et que je les présente un peu trop en paradoxe, sont assez justes pour que je les puisse aisément défendre. Certes Bossuet est le meilleur écrivain français, mais il fit du Dauphin un imbécile ; il lui manquait de communication avec le spontané, avec l'enfance : il était circonscrit de mots. Ces gens me déplaisent, je les dis idiots.

Certes, je t'ai fait de la peine ; tu n'as pas fait d'effort pour sourire à ta faiblesse ; ne t'attends pas à être toujours, comme au couvent, première de ta classe. Tu auras des ennuis, des déceptions ; il ne faudra pas alors que tu les rumines, que tu répondes aigrement. Oui. Tu dis : «Je ne suis pas fine moi», de l'air forcé de Florence [46]. C'est navrant pour moi.

Toujours est-il que je donne de bons conseils à Paul ; certes il ne peut les mettre en pratique tout de suite, mais le cerveau des enfants est si malléable que ça lui reste gravé, que ça l'influencera plus tard quand il deviendra un petit homme ; une chose que je vais lui inculquer, c'est plus de largesse, c'est de penser moins à son petit avoir, à son petit bonheur ; il donne son pourboire à présent à l'hôtel, et pour lui en donner l'exemple je donne des sous aux mendiants qui nous demandent souvent l'aumône vers l'heure du souper ; je vais commencer à le faire céder sa place aux

---

46. Allusion probable à Florence Bellemare ; voir lettre [3], n.2 reproduite p. 27.

dames en tramway. Paul a une petite âme aimante, mais il ne faut pas qu'elle soit étouffée par des mesquineries; il faut le traiter gravement, ne pas lui donner la chance de sortir son petit rire jaune, de Florence; dans trois ans, j'espère l'éduquer un peu. Ne lui en dis rien, ce serait désastreux. Par exemple n'essaie pas de l'embrasser; ce niais caprice, très genre Bellemare[47], de ne pas t'embrasser, il faut que ça se passe; c'est très détestable chez lui. Il faut le faire parvenir à une simplicité où il sera à son aise, gentil... Par exemple j'ai réfléchi à mon cas; je fus un petit garçon jusque vers six ans très gentil; puis je devins de plus en plus bête, gêné, presque contraire à ce que j'étais; c'est qu'à partir de six ans je vécus avec les petits Perreault. Au Jardin de l'Enfance je n'avais guère d'amis; cela se refait un peu aujourd'hui. J'ai lu un roman ces jours derniers de George Eliot[48] qui est dans ce sens; c'est l'histoire d'un pauvre paysan avare, qui devient très sauvage, dur parce qu'il se borne à cette passion; on lui vole son argent, il adopte un enfant perdu; ce contact avec la vie lui rend son humanité, il devient sociable, bon. C'est très vrai : nous devenons bons ou sots selon que nous prenons des voies bonnes ou sottes; tel individu qui se consume dans une situation aride, qui devient aigre, méchant, aurait pu être aussi bon que son voisin; il ne faut juger personne, et même examiner si nous aurions pu les dégager des tristes voies où ils se sont engagés.

J'aurais voulu t'écrire une lettre autre que celle-ci, dans laquelle je t'aurais dit que tu es charmante, que tu dis très bien bonjour lorsqu'on te quitte au parloir. Ce sera pour plus tard. Becs à Madeleine[49].

Je vous aime beaucoup,

Jacques

---

47. Sur l'interprétation que donnera plus tard Ferron de ce patronyme, voir « Le Chichemayais » (*loc. cit.*, p. 110-111).
48. *Silas Marner* (1860).
49. Il s'agit probablement d'une distraction, car la lettre est manifestement adressée à Madeleine.

[30]

[Montréal, février 1938]

[À Madeleine]

Je doute que ta lettre t'ait satisfaite. Certes tu as eu la satisfaction de mener à bien ta thèse : « Tu garderas tes appréciations
de philosophe pour Marcelle, elle a la tête plus pleine que la
mienne ; je me réserve le droit de recevoir tes missives »… etc.
C'est très factice, tout cela. Marcelle voit mieux les choses que
toi. Tu es artificielle toi, quand tu t'y mets. Je suis dur pour toi
parce que tu me reproches d'être ce que tu es. Tu as trouvé dans
ma lettre ce que tu as voulu y trouver. Mes appréciations, il était
normal que je te les fasse. D'ailleurs voudrais-tu te passer d'avoir
des idées ? Ce te serait très difficile ; puisque tu en dois avoir,
mieux vaut qu'elles soient bonnes, larges, auxquelles tu ne croi-
rais pas trop.

Dimanche

Je relis ce que j'ai écrit ; j'ai remords un peu ; je voudrais que
tu sentes là-dessous la tristesse que j'avais à t'écrire cela. Je voudrais déchirer, mais je n'ai pas le temps de recommencer. Il faut
que tu te mettes dans la tête, mon petit bout de femme, que tu
n'auras pas l'avantage sur moi ; je te veux soumise, je ne veux pas
que tu répliques, que tu fasses comme Florence, je te veux affectueuse. Tu n'en demandes pas mieux. Je t'écrirai comme tu
sembles vouloir que je t'écrive ; ne va pas penser toutefois que
« laisser courir sa plume » ne demande pas de préparation ; la
voudrais-je laisser courir, si je n'avais pas lu, elle ne pourrait pas.

Comme je suis fatigué (trois heures et demie de temps j'ai fait
du ski dans la tempête ; je t'ai un rhume atroce), je t'envoie de
petits vers, que je fais pour m'égayer durant les classes.

Les premiers sont sérieux, mais faits beaucoup trop vite.

Tant de chagrins qui se résolvent
Dans une goutte d'eau salée !
Tant de péchés dont nous absolve
Une parcelle d'océan !

Nous ne savions pas encore
Qu'il ne suffit que de ce peu
Pour nous ôter tous les trésors
Où s'aigrissait notre faiblesse.

. Nous ne savions pas encore
Que cette goutte d'océan
Puisse abolir tous nos efforts (1)
Et nous laisser pour tout partage
Que le frisson qui s'alanguit
Comme une paix sur le visage.

Que sera-ce lorsque la mort
Qui s'accumule contre moi
Aura brisé ma résistance?
Je sourirai comme un enfant.

(1) J'entends le fruit de nos efforts. La dernière strophe rate.
Au lieu de mort, tu peux mettre grâce. C'est très faible.

Les seconds sont drôles. Ils ont pris naissance du dessin que
je fais de mon nom; le prénom Jean-Jacques est d'ailleurs exces-
sif par lui-même puisqu'il est celui de Rousseau. Voici.

(mal réussi)

Ce pauvre bourgeois
Tiré par la tête
Dans les airs d'effroi
Par les grandes oies,
Voilà qu'il s'entête
À bercer en soi
La lointaine tête
D'une belle enfant.

Et si véhéments
Soyez, fantastiques
Coursiers, si stridents
Soient vos rires, n'êtes
que bourriques

Au bourgeois qui rêve
De petite tête.

Voilà pour ton amusement. Cela a été pour le mien. J'attends
une gentille lettre de toi.

Je t'aime beaucoup,

Jacques

Écrirai bientôt à Marcelle.

[31]

[Montréal, février 1938]
Mercredi

Ma chère Marcelle,

Il m'a tenté d'envoyer ta dernière lettre à Madeleine pour lui
donner un exemple d'une lettre où la plume courût; elle disait
que ces lettres sont les meilleures. Ta lettre l'eût détrompée. Il ne
faut pas écrire lorsqu'on s'endort. On écrit à la course, on n'est
pas satisfait. Il faut écrire le matin; laisser courir sa plume indique écrire lentement. Tu diras cela à Madeleine; nous allons
l'éduquer cette Madeleine, nous allons arrondir son petit caractère pointu et sérieux qui se plante partout, qui se fait mal à
tout. Il faut lui apprendre à rouler. Elle m'a écrit une bien plus
belle lettre que la tienne, toute contraire à la tienne, écrite sans
rature, avec marges; elle me dit des choses sérieuses et aimables...

C'est extraordinaire comme on est amené à dire des choses
qu'on ne pensait pas dire... Si je continuais de suivre le chemin
que j'ai pris, je te dirais que je n'ai pas aimé ta lettre; c'est
extraordinaire. Je voulais te dire le plaisir de ta lettre; j'ai beaucoup de plaisir à recevoir tes lettres; ces grandes lettres bleues,
carreautées, ridicules, où ta petite écriture remplie d'humeurs, de
lassitudes, d'insatisfactions mord mal; j'aurais l'impression iden-
tique si tu m'arrivais au parloir un dimanche dans un habit de
clown trop grand: tu serais charmante; les dames de sa jeunesse

hantent Francis Jammes[50] car ses yeux déshabitués se dessillent sur la cocasserie de l'accoutrement, ce qui fait les dames plus charmantes, dit-il; c'est un type bien charmant que ce Francis Jammes; je m'y repose des proses d'Alain. Donc je trouve ton papier à lettres lamentable, garde-toi bien de le changer, tu déplairais à Francis Jammes.

Il faisait très beau hier. Je voulais aller à la Bibliothèque municipale, mais il faisait décidément trop beau. Je me promenai; le printemps était dans l'air, et l'on ne s'eût étonné pas de voir s'ouvrir la neige sur une touffe d'hépatiques bleutées. La botanique m'a appris à goûter le printemps; aux vacances je n'aimais plus herboriser parce que le printemps avait fui; le bois d'été est très lourd; il est fermé au ciel; il cuve la peur. Le bois de printemps est très aéré, très humain. Or hier, et aujourd'hui aussi d'ailleurs (je le vois par la fenêtre aux traces de poussière; j'ai l'impression d'être prisonnier; j'ai l'impression qu'on éloigne de moi le printemps pour que j'étudie mes leçons hivernales), or hier le printemps était en ville; il est assez indéfinissable; on le voit dans ses effets: Mallarmé le voit en un ecclésiastique alangui sur l'herbe tendre comme le sous-préfet de Daudet[51]; je le vis dans l'ours du parc La Fontaine; il était couché sur le dos et s'amusait avec une boule de neige qu'il tenait au bout de ses pattes. D'ordinaire il est morose, étant humilié par la grâce des cerfs qui le voisinent; mais le printemps lui faisait oublier les cerfs, il agissait comme s'il fut en compagnie d'animaux moins balourds que lui, l'éponge par exemple ou le porc-épic.

Dis à Madeleine que j'ai hâte d'entendre son Mozart, et que j'aime l'abbé Groulx; c'est un bien brave homme, l'écrivain étant mis à part.

Je t'aime bien.

Un gros bec,

Jacques

50. Il sera aussi question de cet auteur plus loin; voir les lettres [35], reproduite p. 84, et [41], reproduite p. 98.
51. Allusion à «L'Ecclésiastique», pièce tirée des *Poëmes en prose* de Mallarmé.

[32]

[Montréal, mars 1938]

[À Marcelle]
Chère petite sœur,

Je viens de recevoir ta grande lettre, elle m'a distrait un peu du remords que j'avais et qui, seule pensée de mon esprit, m'agressait, d'avoir par ma paresse raté une composition de géométrie ; quoi que j'en dise, je tiens à n'être pas trop faible en mes classes, et les prônes que je te fais sur la nécessité de n'avoir pas d'ambition, n'y crois pas trop ; pour apprendre à travailler pour le plaisir de travailler, il faut travailler dans l'ambition d'être premier ou dans celui de plaire au professeur ; il est à remarquer que le professeur est d'ordinaire écouté plus pour lui-même que pour ce qu'il enseigne ; j'ai remords d'avoir raté ma géométrie, non tant pour la composition que pour le professeur ; il n'a rien d'extraordinaire, il ne pense pas comme moi, c'est une espèce de volontaire qui a tué sa spontanéité ; moi je dis qu'il ne faut pas forcer la fleur à s'épanouir ; il y a sur ce thème un petit poème du poète hindou Tagore que je t'enverrai si je le trouve. Je reviens au professeur : mais c'est un type de bonne volonté, et quoi de plus aimable que ça ; quand tu auras des idées plus tard, tu prendras garde pour n'en être pas aveuglée ; il ne faut jamais juger un homme d'après ce qu'il dit ; qu'importe qu'il [*sic*] dirait des choses absurdes et méchantes, car c'est un homme, il a une rate comme tu en as une, un cœur comme le tien ; ça te semble paradoxal, mais c'est à la base de cette grande sympathie que les hommes éprouvent les uns pour les autres qu'une même manière de sentir et de rire et de souffrir ; si les gens ne se prenaient pas au mot, s'il ne leur fallait pas de mots pour se comprendre, mais un sourire par exemple, tout irait mieux sur Terre. Il ne faut rien exagérer, cependant c'est très sérieux que cette idée-là ; il n'y a de mauvais sur Terre que ce qui est factice, c'est-à-dire voulu par l'homme, abstraction faite de sa nature ; au contraire, ce qui est spontané est toujours bon ; mais comme je disais, il ne faut rien exagérer. Donc il me fit de la peine de faire de la peine à mon professeur. Et je suis décidé de lui faire plaisir à la prochaine occasion. C'est chevaleresque, c'est l'idée initiale de la chevalerie ; qu'est-ce qu'un chevalier ? un individu qui fait des exploits pour plaire à une personne. Don Quichotte est notre frère plus que nous le croyons.

À propos du factice dans la nature, je voulais te citer l'exemple d'*Antigone*. *Antigone* est une tragédie grecque que j'étudie un peu. Voici l'action : Créon, un tyran, défend sous peine de mort d'ensevelir un traître ; Antigone l'ensevelit, elle est tuée, mais les pires malheurs fondent sur Créon ; son fils, sa femme se tuent...

L'édit de Créon était contre nature ; c'est la source de tous ses maux. Les Grecs sont des maîtres.

Je me suis laissé aller à suivre des idées ; j'en ai perdu mon idée initiale : qu'il ne faut pas me prendre au mot, lorsque je prêche contre l'ambition. (Je me garde bien de prêcher contre la chevalerie ; c'est bien désolant que tu n'aies pas lu *Don Quichotte*.)

Dois-je mettre ici fin à ma lettre ? Je le voudrais bien, mais je n'ai encore rien dit de bon. Je continue bien à regret !

Peut-être que sa lecture (je parle de *Don Quichotte* ; rien de pire que de commencer un paragraphe ; les idées, si nombreuses lorsqu'on écrit, se sont enfuies on ne sait où ; alors on accroche une vieille idée) ; donc peut-être que Don Quichotte t'ennuiera ; mais il faut le lire ; c'est un type qui vivra dans tes images ; il t'escortera toujours ; dédaigneras-tu le charme d'un amoureux ridicule qui te parlerait en phrases surannées ? Enfin, je t'en parle d'expérience, si la lecture de ces grands romans ne semble t'apporter que du plaisir, ne t'y trompe pas : c'est une série d'images qui s'accumulent en toi, de types. N'oublie jamais qu'on n'apprend rien que ce qu'on apprend sans s'en apercevoir. Le reste est mémoire.

Ce n'est pas mon fait que de me fâcher ; j'y perds toute grâce. Je n'ai pas le tour de me fâcher. Peut-être parce que je n'en ai pas le droit, sentant bien l'inutilité de la colère. Je me suis fâché assez souvent pour en savoir quelque chose et pour que vous en sachiez quelque chose. Or dans la vilaine lettre, je me suis un peu fâché contre Madeleine ; parce que j'étais un peu fâché contre moi-même ; je sentais que je piétinais dans ma réponse. Cela m'irritait. Au lac, quand je me fâchais contre cette bonne... comment s'appelle-t-elle déjà ? Elle chantait du Bizet. J'étais irrité contre moi

si oisif dont les habitudes étaient de travail. Si les gens étaient satis-
faits d'eux, il y aurait peu de colère. Quand tu es heureuse, contre
qui pourrais-tu te fâcher ? Donc fâché contre moi-même je dis des
bêtises à Madeleine ; mais très peu, très peu. Je lui ai dit aussi des
choses assez justes ; mais elle a dû prendre ça trop à cœur, comme
tu dis bien. Je lui ai dit des choses gentilles aussi. Même je lui disais
que je me riais de toutes ces phrases que je lui faisais… etc. Je lui
envoyai un jeu fait avec mon nom. Je te le refais en résumé.

Ce pauvre bourgeois de Ferron que va-t-il devenir, traîné
dans les airs excessifs par ces deux oies véhémentes ? Ne craignez
rien, il rêve, disons à ses sœurs gentilles ; les yeux fermés sur son
rêve, ces fantastiques coursiers lui sont bourriques.

Tu lui diras à Madeleine de m'écrire. Tu lui diras : « Lorsque
tu écris à Jacques, ne réfléchis pas comme si tu écrivais à ton
curé ; laisse courir ta plume, les mots, les idées viendront. Ce
pauvre Jacques, il est avide de lettres ; des discours il en fait à
chaque semaine ». Elle pourra commencer sa lettre en disant :
« Mon cher petit frère, tu t'es sans doute trompé : au lieu de
m'envoyer ta lettre, tu m'as envoyé ton discours de la semaine. »
Et ce sera bien tapé. Ce sera la farce de l'avocat Pathelin [52]. Te la
raconterai-je ? non, elle est banale racontée par moi. Je n'ai pas le
tour de conter. Il me manque bien des choses. C'est un bien. Si
l'on avait tout, malheureux serions-nous. Si tu pouvais sortir
comme tu voulais, tu serais « tout à l'envers ». Il faut accepter le
peu qu'on a, et s'efforcer de le goûter pleinement.

Papa ne viendra pas jeudi en auto : la route est impraticable.
Dimanche sans doute. C'est merveilleux que le printemps [sic],
le printemps épars dans l'air qui n'a pas encore suscité les éry-
thrines ! Je te conseille de faire de la botanique : merveilleux au
printemps. Redis à Madeleine de m'écrire. Un gros bec,

Jacques

---

52. Allusion à *La farce de Maître Pathelin* (v. 1464, auteur inconnu).

[33]

[Montréal, avril 1938]

[À Madeleine]
Ma chère petite,

Ce que je t'ai dit sur ton article t'aurait mortifié au point que tu ne m'écrives plus? Ce pauvre article j'eusse pu t'en dire du bien; qu'à ton âge je n'en écrivais guère de meilleurs, mais à quoi bon? Je ne voulais pas atténuer des remarques que je crois t'être utiles; l'an dernier notre professeur nous indiquait nos faiblesses, rien de plus. Je ne sache pas que les louanges aident beaucoup, d'autant plus qu'au couvent tu en reçois (à juste titre) plus qu'il ne t'en faut. Et puis quoi de plus aimable qu'être sans prétentions, être résigné puisqu'à notre âge nous ne pouvons pas aspirer à grand'chose. «Celui qui veut sauver son âme la perdra», dis-je dimanche à Florence qui vous souhaite le bonjour ainsi que papa que nous vîmes à Louiseville. Si tu travailles pour arriver première, c'est bon à rien, si tu travailles pour ton plaisir, sans contrainte (ce qui n'empêche pas d'arriver première), tu sauveras ton âme.

Je me sens des aptitudes pour prêcher!

Un gros bec,

Jacques

[34]

[Montréal, avril 1938]

[À Marcelle]
Ma chère petite sœur,

Ah ça, c'est une lettre charmante! Et pas seulement à cause de ton papier carreauté, à cause de ce que tu me dis et des transes où tu me mets; pour la farce de l'âne je passai près de me fâcher net; j'étais à table, je lis que papa m'avait acheté un cheval, je le dis à mes amis: j'étais très content. Je continue, et je me suis renseigné sur la particularité de mon cheval, il est un âne. Mes amis rirent de ton esprit, et tout cela à mes dépens.

Il me semblait que toutes ces pensées d'ânes que j'avais depuis une semaine aboutiraient à un âne; dans ma dernière lettre je réussissais à vous comparer à ces animaux si gentils puisque tu me lui compares [*sic*]. Quelle famille ferons-nous!

Enfin ta lettre est très gentille; je suis bien fâché que tu reçusses ma lettre si peu gentille après me l'avoir écrite; j'aurais dû prévoir. Mais j'ai tant de travail, ma chère petite, que je ne peux m'abandonner à des exercices si subtils: j'y suis apte puisque j'ai senti l'âne à vingt-cinq lieues.

Voilà ce que j'avais écrit avant de te voir; tu ne penses pas que je vais recommencer; le temps est d'or à l'élève diligent que je suis. En réalité c'est que je doute de ma verve, et chaque fois que je commence à t'écrire je ne crois pas pouvoir remplir deux pages; lorsque je pense à moi, je me trouve idiot, mais à l'œuvre je suis plus satisfait de moi, et je m'étonne de pouvoir remplir si aisément mes quatre pages. Malgré ça je n'aime pas écrire de lettres, ça m'ennuie parce que je suis obligé et qu'il faut que je fasse vite; j'aime écrire sans contrainte, avec beaucoup de temps, pour reprendre indéfiniment... Tout cela est sophisme... on n'écrit bien que contraint, soit par le désir de faire plaisir à sa petite sœur.

Mais je ne suis pas à mon aise ce matin; j'eusse dû t'écouter hier et ne pas tant fumer; des idées passent en mon esprit, mais je ne les retiens pas, je les laisse passer, je ne me sens pas le courage d'étendre le bras pour les saisir par la crinière, je suis en léthargie; je ne vois, pour te bien faire comprendre mon état, qu'un rapport avec les longs réveils, les paresseux réveils de vacances; il faudrait bien se lever, le matin est exquis; la rosée tempère encore l'ardeur du soleil, mais on ne veut pas; il faudrait bien voir l'heure; la montre est au pied du lit, on n'aurait qu'à étendre le bras, mais on se pense si lourd qu'on n'ose pas vouloir...

Cette paresse est pleine de charme et de pouvoir; elle indique beaucoup; en effet, n'ayant pas d'autre idée que celle de notre tiède existence, n'étant pas encore ni Marcelle ni Jacques, il ne nous étonnerait pas d'être kangourou ou ocelot; si jamais les dieux te métamorphosent — je te vois très bien en source, en un éclat de rire, en l'écho — c'est à ce moment qu'ils le feront. Vois les métamorphoses qu'Ovide chante, Philémon et Baucis changés en arbres aux branches entrelacées amoureusement.

Je n'aime pas celui qui se lève aussitôt que réveillé; il reprend son identité de Jacques ou de Marcelle comme le voyageur qui sommeille dans la gare se saisit de sa valise au premier cri tant il craint de manquer son train. Or les gens qui ont un train à prendre sont idiots; les dieux ne leur parlent pas. Ceux qui se laissent mûrir comme une baie, ceux qui se laissent vivre me plaisent. Mais il ne faut rien exagérer...

Voilà une bien sotte lettre; ce n'est pas une lettre, c'est une introduction à une lettre, comme *Hérodiade*[53] est une introduction au poème que l'auteur n'a pas eu le courage de faire, mais on accepte quand même *Hérodiade* comme le poème. Quand même compte ceci comme lettre, tu es bien gentille.

Mille becs,

Jacques

[35]

[Montréal, avril 1938]
Mercredi

Ma chère Madeleine,

C'est un charme que de recevoir une lettre de toi, de caractères bien formés, avec marges et sans rature, commençant par une offrande; j'ai l'impression de te voir apparaître sur le seuil de ma chambre, avec un tablier bien propre et les cheveux soumis, m'offrant le sucre à la crème que tu viens de faire. Voilà qui est d'une sentimentalité qui rase la niaiserie, et c'est la saveur qu'elle peut avoir. Je viens de lire du Francis Jammes; tu te souviens: «Prière pour aller au ciel avec les ânes[54]»; dans le train: ma prière exaucée, vous veniez avec moi à Louiseville. Voilà qui est sans malice; le rapprochement s'offrait, je ne l'ai pas refusé. Il n'y

53. *Hérodiade*: suite poétique de Mallarmé (1869).
54. Titre d'un poème de Francis Jammes qui figure dans le recueil intitulé *Quatorze Prières* (1898).

a pas à vous en offusquer d'ailleurs ; les ânesses sont très gentilles, quand vous les êtes ; vous savez sans doute que, métamorphosé, l'on garde son charme personnel. C'est une thèse que je vous ferai un autre jour ; sortons de ces âneries.

Ton offrande enfin m'a plu ; elle indique un certain souci de me plaire. Je ne l'accepte pas. Quel merveilleux marché tu fais ! Tu as ma reconnaissance et tu gardes ton argent. Si toujours ces deux puissances s'accordaient ainsi ! S'il ne fallait pas payer la reconnaissance avec de l'argent et l'argent avec de la reconnaissance, nous avons trouvé la solution dans notre désintéressement et notre absolu désir de plaire. Que veux-tu que je fasse de ton argent ? Pas d'autre chose que le dépenser ; or pour mes dépenses nécessaires j'ai amplement d'argent ; tu me gâterais, tu me ferais acheter des choses qui ne me sont pas nécessaires ; à force de les acheter, elles me deviendraient nécessaires ; à la longue ça me serait dispendieux. Et plus tard mon indolence (illusoire ?) m'obligera à vivre frugalement ; il faut que je m'y prépare lentement.

Je me suis acheté un disque de Wagner, l'ouverture de *Parsifal*. Si j'eus ton argent, il m'aurait été possible d'avoir la *Pastorale* de Beethoven pour $2.25. J'eus mon *Parsifal*, un disque de $2.00, pour $0.70. Je trouvai le théâtre d'Eschyle et l'eus pour $0.30. J'aime beaucoup bouquiner. Je fais le tour de toutes les librairies, les plus humbles de préférence ; elles semblaient hier — c'était le jour le plus lumineux de l'année — des repaires ténébreux ; j'y pénétrais avec des idées de batailles, prêt à combattre le libraire mercantile et ignare. J'aime trouver le classique dans un cloaque de romans. Le libraire faisait le prix ; je payais en m'étonnant qu'il fut si bas ; je n'ai pas l'art de marchander. Après tout je ne suis pas le seul qui aie le droit de vivre, le marchand aussi ; je m'étonnais qu'il puisse vivre de si peu.

J'aime le luxe ; je serai prodigue tant que je ne l'aurai pas ; alors je combattrai pour me le conserver ; alors je me servirai de mes possibilités d'avarice que j'ai latentes en moi ; le difficile me sera de garder un juste milieu. Pour revenir au luxe : il m'est nécessaire, tu vois ; la lecture, la musique en ont besoin ; car le luxe est pour moi un beau tableau, un fauteuil Louis XV ; enfin quelque chose de très humain. Le luxe apaise l'homme; si madame Curie l'eût bien goûté, elle eût préféré son humanité à tout le radium du monde; tous ses travaux valaient moins à son charme que la lecture de madame de Sévigné. Garde-toi bien de partir en croisade, reste en ta compagnie, qu'importe [*sic*] ça te semblerait ennuyeux.

J'attends une prompte réponse, chère Madeleine, et t'offre mon affection au lieu de mon argent.

Le méchant Jacques

[36]

[Montréal, 4 mai 1938]

Ma chère Madeleine,

Méchante es-tu de te moquer de mes amours[55], et de me refuser l'argent promis, car tu m'as dit, tu m'as offert de toi-même de le joindre au mien, dans un but qui dépasse tous les autres auxquels tu pourrais songer à le dépenser. Ton premier geste était certainement très beau, très généreux, mais que devient-il si tu le renies, comme quelqu'un qui, ayant donné sa parole, la retire, l'ignore même sous prétexte qu'il ne l'a pas donnée devant témoin.

Enfin, tu n'es pas obligée, et je t'avoue que moi-même [je] me ficherais d'une promesse faite à ma sœur si elle n'allait pas selon mon intérêt; mais ici, tu bénéficieras autant que moi des disques; même si tu désirais que je te les envoie au couvent, je le ferai avec plaisir. J'ai actuellement d'acheté:

Clair de lune — de Debussy
Une fugue — de Bach.
J'achèterai
Huitième Symphonie — de Beethoven qui est un peu chère, et qui m'intéresse, car elle représente cette phase de son œuvre où son génie, après s'être apaisé et avoir produit des œuvres les plus parfaites (symphonie en ut mineur... la *Pastorale*), dépense sans but

---

55. Jacques fréquentait alors une jeune fille du nom de Lucille Rouleau.

des énergies surhumaines, où « la tragédie se mêle à la farce, et une vigueur herculéenne à des jeux et des caprices d'enfant [56] ». C'est ce que l'on m'a dit ; c'est ce que m'a dit un auteur épatant ; ainsi je me mets à l'école des auteurs cultivés, au goût sûr ; je forme mon goût sur le leur, car je doute de moi… etc. Mais si tu m'envoies de ton argent, je pourrai acheter la *Pastorale* ou celle qui te plaira.

Je pourrai t'acheter aussi le texte de la sonate dite *Au clair de lune*, si tu le désires, et le disque aussi, pour perfectionner ton jeu d'après lui, bien que je n'y trouve pas grande nécessité.

Enfin du Mozart m'intéresserait.

Méchante es-tu aussi de te moquer de mes amours. Pauvres amours qui agonisent, car je leur ai porté un coup de mort. Mademoiselle m'a montré une œuvre d'elle, que j'ai critiquée avec la dernière rigueur.

Je t'ai envoyé le dernier *Brébeuf* où j'ai écrit l'article que tu n'as pas lu, dis-tu [57]. Je ne comprends pas que tu te plaignes.

Enfin j'aurais ceci et cela à te dire. Je suis fatigué.

Bonjour. Réponds-moi,

Jac

[37]

[Montréal, 16 mai 1938]

[À Madeleine]
Mademoiselle ma sœur,

À une heure précise le samedi, j'ai continué de penser à vous ; c'est la seule fois de la semaine que je le fais, et encore avec quel embêtement ! Aujourd'hui ma pensée pour vous fut coléreuse, et il ne me surprendrait pas qu'au même jour et à la même heure vous ayez ressenti une grande peur et ayez regretté vos péchés

---

56. Il n'a pas été possible de retrouver l'origine de cette citation.
57. Il s'agit peut-être de « Carnet d'un bellettrien », paru dans le journal du collège : *Brébeuf*, V : 10-11-12, 16 avril 1938, [n.p].

contre moi ; je crois à la télépathie, et que vous puissiez en être influencée, je n'en doute pas, car je viens de lire que les esprits simplistes, surtout ceux des demoiselles, le sont.

Ah, Madeleine, que tu blesses mon cœur, que je suis malheureux de ton indifférence pour moi, dirais-je si j'étais romantique ou menteur ; mais n'étant ni l'un ni l'autre par la grâce de Dieu, je te déclare cependant qu'il m'agace de [te] voir froide à mon égard au point de ne plus répondre à mes lettres, non pas par sentiments, car j'en suis dépourvu t'ai-je dit, mais par colère. T'analyserai-je cette colère ? Non, car pourquoi me fatiguer à le faire, quand je sais que tu n'y comprendras rien. Mais sache ma sœur que je te pardonne que tu ne m'écrives point, car je comprends que cela te doit être très difficile, étant sotte...

Lis-tu ce que je t'écris avec le sourire ou le menton allongé et sérieux ? Dans le premier cas, c'est que tu n'es pas sotte, dans le second c'est que tu l'es.

Monsieur notre père m'a visité ; il se porte bien, rendons-en grâce à Dieu, mais il me semblait quelque peu soucieux. « Qu'avez-vous ? », lui demandai-je. Il me répondit : « Il m'est triste de voir Madeleine à ce point sotte qu'elle... ». Je lui coupai la parole, protestant. Il continua : « ...à ce point sotte qu'elle conserverait son argent dans son bas ». C'est bien, insinuai-je, car j'ai encore de l'affection pour toi. « Oui c'est bien si elle veut être vieille fille ou économe dans son couvent. Tiens, que ne t'a-t-elle aidé à acheter des disques... Mais ce que je te dis là, ne le lui rapporte pas, car je lui ai dit le contraire pour ne point la troubler plus. »

Après quoi nous parlâmes de mes disques :
Bach — *Grande Fugue*
Debussy — *Clair de lune*
Après-midi d'un faune
Mozart — Ouverture de *La flûte enchantée*
Beethoven — *Huitième Symphonie*

Avant qu'il ne parte, je lui demandai de prier Dieu avec moi pour ta guérison.

Réponds-moi donc. Sur qui compter si tu te refuses! Il n'y a que toi. Réponds sérieusement, pas comme moi, car ce doit être déplaisant ce ton —

de Jacques

[38]

[Montréal, 26 mai 1938]

[À Madeleine]
Ma chère sœur,

Comme le vent qui saute du nord au sud, mon âme, de courroucée qu'elle était, est devenue bienveillante, dirais-je si je faisais des phrases, mais heureusement je n'en fais point, et tu devras te contenter d'une conversation sans préparation, car je t'écris entre deux examens. Au moins je suis brave, moi; je t'écris, dussé-je couler trois examens!

Désormais je ne te considérerai plus comme une vieille économe, mais comme ce que tu es; et sache, ma sœur, que mon cœur fut touché de ton sacrifice et de ta phrase: « Il ne me reste plus que ça. Je te le donne. » Ô phrase magnanime que j'ai inscrite pieusement dans mon carnet, phrase liturgique que l'on doit placer au point culminant du culte fraternel...

Pardonne-moi d'être moqueur; c'est que c'est vraiment touchant, trop même; on dirait que je t'ai arraché le cœur; serait-ce que tu as le cœur d'une vieille sœur économe? Mais que je suis bête de me moquer encore! C'est un grave péché, dont tu devrais me corriger; il est d'autant plus grave que j'y trouve beaucoup de plaisir; ainsi lorsque je reçus ta lettre, peu s'en fallut que je ne décide que ma réponse contiendrait le récit d'une journée de sortie; j'aurais ainsi terminé: « Ô ma chère Madeleine, comment te remercierais-je? Car après tout c'est à toi que je dois tous ces plaisirs, à ton argent. » Tu n'aurais pas été contente, non pour ce pauvre deux piastres, mais pour le peu de cas que j'aurais fait d'un aussi... (j'allais placer un [sic] épithète moqueur: sublime) si cordial. Mais derrière mon ironie, j'ai un assez bon cœur; je ferai un excellent usage de ton argent, usage qui te profitera, car j'achèterai un dernier disque : je ne sais point quoi encore, du Ravel ou du Fauré peut-être.

Je voulais te raconter comment je manquai de devenir fou, mais ce serait une trop longue histoire, et trop cocasse, mais sache-le.

Maintenant que te dirais-je d'autre ? Je dois étudier.

Je te transmets un baiser d'Émile.

Jac

[39]

[Montréal, 4 juin 1938]

[À Madeleine]
Ma bien-aimée sœur,

Je lisais les contes de Perrault hier soir : « Ma sœur, disait la pauvre dame que Barbe Bleue allait égorger, ma sœur, ne voyez-vous pas venir nos frères ? » Ils vinrent ; les frères viennent toujours. Mais pensant à ta lettre promise, il me vint à l'esprit de changer les rôles ; ainsi je serais le pauvre mari que la dame bleue veut égorger ; il dit à son frère : « Ne voyez-vous point venir nos sœurs ? » Elles ne viennent pas, et le pauvre diable est égorgé.

On peut faire ça symbolique : la dame méchante pourrait être la tristesse de ne point voir venir ton message. Mais au diable ces symboles, ces contes ! Tu vas me trouver d'esprit laborieux. Je me fiche bien que tu ne m'écrives pas, je te l'ai déjà dit ; mais ne pense pas que cela va m'empêcher de t'écrire ; quand j'ai mal à la tête, que j'ai assez lu, j'ai coutume d'écrire, et comme par hasard je n'ai pas assez d'idées pour écrire pour moi ce soir, je t'écris. Ne va point penser que je t'aime, ou d'autres sottises semblables.

<hr>

On nous annonce ici [un] concours intercollégial de vacances [58] ; je me suis inscrit ; premièrement dans « La route » —

---

58. Ce concours, organisé conjointement par la revue *L'Action nationale*, la JEC, le mouvement des Jeunes Naturalistes et les Scouts, comportait six catégories : « Photographies », « La route » (récit de voyage), « Petite histoire », « Enquêtes sociales et

deuxièmement dans l'histoire; je raconterai le rôle de la rivière du Loup dans le développement de notre région. Ça va m'amuser durant les vacances. Vous a-t-on annoncé ce concours? Si on le fait, n'aie point peur de t'inscrire, je t'aiderai, ou si tu préfères je te suggérerai, je te dirigerai; ça va m'être occasion de te faire reconnaître ma supériorité intellectuelle; à t'entendre, tu m'es égale; pour te laisser la chance de le prouver, inscris-toi dans les mêmes sections que moi. Tu vas te dire en lisant ces lignes: «Mon pauvre Jacques en plus d'être sans bon sens est fat» (prononce «fate»; notre prononciation est défectueuse).

Voilà; j'ai beaucoup de plaisir avec «Ma route», qui est un récit de voyage; je l'ai presque fini; j'ai choisi mon excursion dans nos lacs que j'entreprendrai cet été[59]. Hier soir j'étais au lac Carufel; j'y ai vu une sirène, et durant tout cet aujourd'hui des faunes couraient devant nous et des sylvains nous sifflaient. Je crois que l'on assistera au Jugement dernier; ce qu'il y a de certain: on assiste au jugement de Christophe Colomb; c'est au sujet des Indiens...

Ça te donne une idée... que tout est à recommencer.

Que te dirais-je encore? que j'adore Valéry? Tu le sais:

Pères profonds, têtes inhabitées,
Qui sous le poids de tant de pelletées,
Êtes la terre et confondez nos pas,
Le vrai rongeur, le ver irréfutable
N'est point pour vous qui dormez sous la table,
Il vit de vie, il ne me quitte pas!

Un exemple; ce n'est pas de ses plus beaux vers; je te cite cette strophe parce que je l'ai en mémoire; quelle concision de discours! quelles évocations! que les romantiques et leurs grands lieux communs, et leurs cris sont fades après cette lecture du «Cimetière marin».

Trois pieux baisers de ton grand frère,

Jac

économiques», «Sciences naturelles» et «Refrancisation». Voir «Concours intercollégial pour les vacances prochaines», *L'Action nationale*, XI: 6, juin 1938, p. 536-546.
59. Un fragment de ce récit sera publié dans le journal *Brébeuf* sous le titre «Étape» (VI: 1, 8 octobre 1938, [n.p]).

[40]

[Montréal, septembre 1938]

[À Marcelle]
Ma petite sœur,

J'avais commencé une lettre pompeuse pour toi et
Madeleine, mais quand j'ai vu que celle-ci écrivait à Paul et ne se
souciait pas de moi, transporté par une sainte colère je l'ai déchirée et je n'écris qu'à toi pour punir cette intrigante-là ; peu s'en
fallut que je ne me borne pas qu'à ça, car j'ai songé deux jours et
une nuit à lui écrire de la part de Guy[60]. J'avais même commencé
cette aimable lettre, qui aurait contenu un madrigal, et à laquelle
je prenais grand plaisir car elle m'était un excellent exercice pour
quand j'écrirai à la dame de mon cœur, mais tu sais que je suis
l'indulgence même ; mais qu'elle sache — et tu lui diras — que
si elle ne m'écrit pas, eh bien, je la terminerai.

Voici le thème du madrigal : je suis plein de langueur loin de
toi, et les jours peuvent s'écouler et mettre leur rempart entre
nous, et jeter leur voile sur ces heures frémissantes que j'ai pas-
sées près de toi, que tes yeux toujours m'obsèdent, Madeleine !
Madeleine ! Madeleine !

Tu peux t'imaginer en vers, quelle ardeur elle y trouverait ; la
rime qui se répète et frappe un marteau sur un clou qu'on
enfonce, présenterait bien les tourments qu'elle serait censée causer.

Ceci dit, passons aux choses sérieuses, mais qu'y a-t-il de
sérieux à part le salut de ton âme, dont je n'ai pas l'autorité de te
parler ? Donc j'ai été sot de dire : parlons des choses sérieuses.

J'ai terminé mon concours de vacances ; je l'ai relu et me suis
aperçu que ça ne valait rien ; ce qui m'a extrêmement plu ; certainement que ça m'a plu ; car voilà évanouis tous les espoirs, toutes
les illusions de réussite, qui m'auraient tracassé durant des mois ;
d'ailleurs, sache, ma sœur, qu'il est idiot de travailler pour l'hon-

---

60. D'après Madeleine, il s'agit probablement d'un jeune homme de Louiseville, Guy
Saint-Antoine. « Il était plutôt amoureux de Marcelle. C'est sans doute pour agacer
cette dernière que le madrigal m'aurait été destiné » (lettre à Marcel Olscamp).

neur; certes c'est un excellent stimulant lorsqu'on est jeune comme toi et que la matière est morte, scolaire; mais vient un temps où, grâce à Dieu et à mon travail je suis parvenu, où nous travaillons pour travailler, et sitôt qu'une tâche est finie, il faut en reprendre une autre; l'inaction est pour nous synonyme d'ennui, et les honneurs de fumées.

Il m'a tenté de t'envoyer *Don Quichotte* mais je crois que tu l'as lu, et à ton âge on ne relit pas, semble-t-il; je le relis pour la troisième fois, et je ne l'ai jamais trouvé si amusant. Lundi le 26, nous sortons; j'irai chez mon libraire et t'achèterai un bouquin qui pourra t'intéresser longtemps; je ne sais quoi encore; je me suis fixé pour y penser les 20 et 21 septembre; ainsi toutes mes heures sont occupées; cette lettre, je l'ai écrite étape par étape dans les dernières cinq minutes des études; je veux devenir maniaque, puisque tu prétends que je serai célibataire étant trop lent et d'un nez trop long; mais n'oublie pas ma sœur que monsieur Jos Lambert vit avec sa sœur Joséphine; tu seras ma Joséphine! Du moins toi, je serai sûr que tu ne me seras pas ravie par un M. Jos Lescadre [61].

Enfin j'ai fini; tu ne peux savoir comment je me suis torturé pour trouver quelque chose à t'écrire; avec ton gros nez, tu n'as pas d'inspiration.

Jac

[41]

[Montréal, septembre 1938]

Mesdemoiselles mes sœurs,

Bien que je ne croie pas la marche compatible avec l'inspiration puisqu'elle absorbe toute pensée, puisqu'elle devient notre pensée, j'ai cependant eu une grande révélation que dans la paresse issue de ma lassitude·j'oubliai de vous faire connaître durant l'entretien que nous eûmes cet après-midi, mais je tiens à

---

61. Les Lambert et les Lescadre, de Louiseville, étaient apparentés, mais d'assez loin, aux Ferron.

le faire, puisque enfermées comme vous êtes derrière ces grands murs de pierre, et derrière ceux-là non moins grands de l'instruction que vous recevez, vous ne l'avez certainement pas eue : la révélation de l'automne ; je ne doute pas que vous sachiez d'après le calendrier que nous sommes en automne, mais le connaissez-vous, pourriez-vous me le décrire autrement que superficiellement ; non, et c'est une grande erreur que dans mon sentiment de fraternité je voudrais vous éviter ; je voudrais que vous vous habituiez à briser les vieux clichés et à trouver un sens neuf aux choses.

Si vous aviez une narration sur l'automne vous parleriez de ses feuilles rougies ; il est évident qu'elles frappent d'abord. Elles furent rougies non par le froid comme on croit communément, mais par les crépuscules ; les crépuscules les ont persuadées. De quoi, il y a correspondance entre l'hiver et la nuit ; à l'exception que la nuit l'homme se repose, et que l'hiver, rempli des forces qu'il a puisées dans l'été, il lutte ; il est la continuation de l'été dans l'hiver… Mais je traite d'automne ; revenons aux moutons ; ce que je disais de l'hiver, il en est ainsi de l'automne, il est une lutte ainsi : en quoi il est facile de voir qu'il est une préparation d'hiver.

Maintenant, vous qui avez respiré l'air marin [62], ne trouvez-vous pas rapport entre la mer et l'automne : airs très purs, très sains, vierges de parfums, de langueur, airs d'hiver quoi, mais possédant ce que l'hiver n'a pas, cette odeur de pourriture venant des varechs et des feuilles mortes ?

Je reprends le rapport de la nuit et de l'hiver ; si l'homme s'y refuse, l'hiver n'en est pas moins le sommeil de la nature ; et voyez-la, à l'automne, qui se déshabille sans se soucier de nos pudeurs ; heureusement que la neige la recouvre aussitôt (je vous ferai remarquer en passant que l'obscurité joue pour nous le rôle que la neige joue pour la nature).

Il est des érudits qui ne sont pas d'accord avec moi, qui prétendent que mes interprétations sont vaines puisque je ne parle

62. Allusion au voyage en Gaspésie que la famille Ferron venait d'effectuer, à l'été de 1938.

pas du vent; d'après eux, l'automne résulte de la séduction des feuilles par le vent; en effet celui-ci est fatigué d'être arrêté par elles (il est évident que les feuilles arrêtent le vent: grand vent sur le lac Saccacomi, paix sous les arbres, sous la maison des arbres; je voudrais vous parler de cette maison sur laquelle les temples grecs se basent mais c'est une autre histoire). Alors, il leur a persuadé [*sic*] de se grimer, et elles en mourront (quelle leçon pour vous, jeunes filles). Quand les feuilles seront toutes tombées le vent soufflera à sa guise et pourra écrire ses pensées sur la neige malléable.

Lundi

Je m'excuse de ce que j'ai écrit hier de façon si peu claire et de si peu d'intérêt; pour qu'on m'excuse voici une fantaisie sur l'automne dans laquelle je me crée une figure avantageuse.

Venez, monsieur Ferron, venez par la montagne, disaient ces coquines de petites feuilles toutes barbouillées de fard; venez, nos sœurs mortes feront un tapis pour vos pieds; nous aimerions tant écouter vos doctes considérations sur l'agonie des asters.

Elles disaient d'un air de candeur sous lequel elles contenaient une immense envie de rire, comme sous un air de contrition la petite fille qu'on trouve criminelle pour avoir jeté un croûton.

Monsieur Ferron ne put pas résister et pour aller étudier les asters, il s'avança, suffisant comme un canard, et posa son pied vénérable dans une flaque que dissimulaient les feuilles mortes.

Leurs sœurs non chues éclatèrent d'un grand éclat de rire qui les emporta dans son pli, alors que s'il arrive à la petite fille d'éclater ainsi, l'éclat de rire ne l'emporte pas de devant l'autorité inflexible qui serait peut-être plus flexible si elle avait eu la force de briser les clichés, cette sagesse de cliché dont elle est l'esclave. Aussi hier j'écrivais qu'il fallait briser les clichés, et vous montrais au sujet de l'automne mes efforts dans ce but.

Mais passons aux choses sérieuses.

C'est-à-dire à *Don Quichotte.* D'un roman que faut-il attendre? En premier lieu prendre contact avec une âme vivante qui puisse nous enrichir; enrichir ne signifie pas apprendre des

connaissances, ce qui est très secondaire (il est mille fois plus pré-
férable une tête bien faite qu'une tête remplie), mais en le lisant,
se sentir une plus grande compréhension des choses et des
hommes ; *Don Quichotte* est excellent à ce point de vue ; tout y
est vivant, ce qui est dit est pensé, vécu, c'est-à-dire le contraire
du cliché qui est une forme acquise que l'on emploie sans en connaître le sens plein, ou plus justement, qui est une façon de
s'exprimer tellement vieillie par cela même qu'elle ne rend pas le
vrai sens de ce qu'elle exprime, qu'on l'emploie sans qu'elle nous
suggère quoi que ce soit. (Voilà qui est pénible d'expression !)

Cette vie de *Don Quichotte* fait que le rire que l'on y trouve
est aussi spontané que celui des feuilles devant la mésaventure de
M. Ferron, ou que celui de la petite fille devant ces personnes fer-
mées, exprimées, qui s'exprimerait par une série d'idées et de
croyances, sans compréhension aucune.

Il faut attendre d'un roman en second et bien moindre lieu une
bonne « histoire » ; à mon avis ça fait lire, ce n'est guère profitable,
car l'intrigue bien corsée fait lire trop vite et nous fait sauter, et nous
fait oublier ce qui nous serait profitable, ces passages bénins qui pro-
voqueront l'émotion par leur vérité même, leur compréhension.

Le roman de revue populaire ne rapporte rien, et pourtant se
lit bien pour qui n'a pas goûté aux livres vivants.

Enfin pour conclure, *Don Quichotte* est un excellent livre tant
parce que vivant que pour n'avoir pas d'intrigue.

Je dirais que *Don Quichotte* bien compris est un signe d'excellent esprit et indique une possibilité de lire Claudel.

Nous avons eu ce soir un cours d'histoire de l'art où je me
signalai par un acte peu gentil pour le professeur ; en effet ce
pauvre innocent (il me fait rappeler une phrase d'Alain : un professeur d'histoire de l'art est souvent plus loin de comprendre la
beauté d'une église, que la pauvre vieille qui récite son chapelet),
nous jugeant d'après lui, nous faisait prendre mille et une notes ;
des définitions-clichés, des noms d'auteurs, des dates, enfin tout
un attirail d'érudition tout à fait incompatible avec l'art ; il me
demanda pourquoi je ne prenais pas de notes ; je lui répondis :
« Je viens au cours pour voir les reproductions dont vous illustrez
votre cours. » (J'ai bien répondu à mon avis ; en effet je ne peux

plus sentir que l'érudition remplace l'instruction, et qu'on nous fasse apprendre l'histoire de la littérature et [qu'on ne] nous laisse pas prendre contact avec la littérature elle-même ; comme si le critique était plus important que l'auteur et « que [le] disciple se faisait plus grand que le maître » ; ma grande force, ce qui aura été ma grande force si continuant à travailler beaucoup je parviens à quelque chose, c'est que durant ma Méthode et ma Versification je fus d'une grande paresse ; je m'évadai de l'érudition et je pus communier à la vie même.)

Le professeur blessé dit : « Vous n'aimez donc pas mes cours ». « Non, répondis-je, car vous ne dites pas à quelle heure Giotto se faisait la barbe. »

Il blêmit, mais ne me mit pas à la porte, car il tenait à mon deux piastres (le prix du cours) et peut-être sentait-il son erreur.

Je me reprochai cela après coup, car derrière la pire idiotie, il y a une bonne volonté, un cœur qui vaut plus que l'esprit, mais rien n'empêche que l'idiotie est bien agaçante.

———————

Paul est revenu de Louiseville annonçant que papa venait dimanche ; je me suis empressé de lui écrire pour l'en dissuader et trouvai de si bons arguments qu'il est à peu près certain qu'il ne viendra pas.

Je répète mon ultimatum à Madeleine : une lettre avant dimanche ou…

Je vous baise sur la bouche la langue perfidement sortie entre mes lèvres comme une lancette de couleuvre.

Jac

Voici quelques livres que je pourrais vous envoyer ; demandez si vous pouvez les recevoir, bien que je ne crois pas cela nécessaire tant ce sont des livres bons et salutaires.

D. de Foe — *Robinson Crusoé* (l'ai acheté ; Paul est à le lire)
H. Ghéon — *Le pauvre sous l'escalier*
            — *Le pendu dépendu*
                        etc.
Scott — *Ivanhoé*

P. Benoit — *Le roi lépreux*
F. Jammes — *Clairières dans le ciel*
            De l'angélus de l'aube à l'angélus du soir
            Le roman du lièvre

[42]

[Montréal, novembre 1938]

Mes petites,

Suis foutu! 1° parce que je n'ai pas suivi les règles du concours — 2° parce que le jury était formé de deux Franciscains et
d'un professeur des Hautes Études commerciales (ce qui est
incompatible à ma fantaisie) — 3° parce que mon travail était
quelque peu enfantin, et beaucoup moins travaillé que les autres.
Je [ne] fus fâché que dix minutes, et ce fut parce que j'avais
annoncé mon succès.

Jacques

[43]

1/12/38

Mes chères petites,

Vous avez sans doute reçu la carte où je vous mandais mon
échec pécuniaire qui m'affecte plus que tout autre; comme je
vous le démontrais dimanche j'eus fait un excellent usage de cinquante dollars; l'absence continuée du *Divertissement* de Mozart
et mes livres sans reliure, m'affectent; quant à la valeur de mon
œuvre je la connais mieux que les Capucins du monde; c'est un
genre qu'ils ne peuvent saisir. S'il indique un esprit libre et original, mon journal ne vaut pas grand'chose; je le déchirerai, moins
quelques pages que je vous enverrai.

Cependant j'aime cette idée de concours qui nous force à travailler quelque peu en nous soufflant une ambition quelconque
par la compétition ou pour les âmes basses par l'appât des récom-

penses. C'est pourquoi — d'autant plus que les récompenses seront beaucoup plus sérieuses — je vous suggère d'entreprendre avec moi un travail sur je ne sais quoi, dont toi Marcelle tu aurais à faire les croquis, toi Madeleine la présentation et moi le texte ; ça nous amuserait ; ça nous occuperait. Le difficile serait de trouver le sujet qui enchaînerait nos trois efforts, comme Dieu et ses trois personnes[63]. Nous signerions au nom de Madeleine qui se trouverait notre centre, notre giratoire...

« Avocat, passons au déluge »... c'est-à-dire à M. Groulx dont je vous ai déjà signifié le peu d'estime dans lequel je le tenais ; ce n'est pas par pose, parce qu'il est beaucoup loué, pour être l'oiseau rare que je le juge ainsi, mais parce qu'avant de le lire j'ai eu la chance de connaître Claudel, Valéry un peu, de grands historiens français qui m'ont formé le goût, de sorte que ce pauvre abbé me paraît bien piètre ; comme romancier, comme conteur je le donne pour dix sous et si vous insistez un peu vous l'aurez pour cinq ; c'est du sentimentalisme fade, celui de tante Marie-Louise qui pleure d'être séparée de son chien qui faisait si bien « la belle », qui était si affectueux[64]. Ses vers, « La leçon des érables[65] », je ne les vendrais pas tant ils me font rire ; voici un quatrain dont je me souviens :

Hier que dans les bois et les bruyères roses,
Me promenant rêveur et mâchonnant des vers,
J'écoutais le réveil et la chanson des choses,
Voici ce que m'ont dit les grands érables verts !

C'est du très mauvais romantisme ; je m'imagine cette vieille fille en soutane gambadant dans les « bruyères roses » et « mâchonnant des vers » (c'est formi*n*able) ; puis qui écoute le cours de patriotisme des érables. C'est unique à force d'être sot.

---

63. À l'été suivant, les trois enfants donnèrent apparemment suite à ce projet « familial » qui, selon Madeleine, prit la forme d'« un impressionnant herbier de fougères » (lettre à Marcel Olscamp).

64. Institutrice, Marie-Louise était l'épouse de Nérée Ferron, frère du notaire et aîné de la famille. « Comme elle était réservée, plutôt austère, son amour des animaux en était plus spectaculaire », écrit Madeleine (lettre à Marcel Olscamp).

65. Poème liminaire du recueil de récits de Lionel Groulx, *Les rapaillages* (1916).

Le vers a sa fin en lui-même ; tu le goûtes comme tu ris d'un âne qui mange des figues ; et puis c'est tout ; si le vers t'a communiqué des idées, c'est que le poème que vous lisez est de la prose rimée, comme celui-ci. (Que dites-vous de « La fileuse » ? Charmant n'est-ce pas ; n'oubliez pas de le lire à voix haute, ou à mi-voix, mais n'allez pas le lire des yeux.)

Je termine prestement. Son histoire est celle d'un honnête homme qui a travaillé ; il se laisse porter par les faits, il ne les pénètre pas d'une forte synthèse. Sa faiblesse est de révérer notre histoire : il oublie que le Canadien français fut surtout un buveur d'alcool.

Je vous aime beaucoup pour vous assommer de lettres si sèches, n'est-ce pas ?

Trois becs à chacune,

Jac

Les fenêtres (suite) [66]

Mais, hélas ! Ici-bas est maître : sa hantise
Vient m'écœurer parfois jusqu'en cet abri sûr,
Et le vomissement impur de la Bêtise
Me force à me boucher le nez devant l'azur.

Est-il moyen, ô Moi qui connais l'amertume,
D'enfoncer le cristal par le monstre insulté
Et de m'enfuir, avec mes deux ailes sans plumes
— Au risque de tomber pendant l'éternité ?

La fileuse [67] — Valéry

Assise, la fileuse au bleu de la croisée
Où le jardin mélodieux se dodeline ;
Le rouet ancien qui ronfle l'a grisée.

Lasse, ayant bu l'azur, de filer la câline
Chevelure, à ses doigts si faibles évasive,

---

66. Il manque apparemment un feuillet à ces pages, qui accompagnent la lettre précédente. Le poème « Les fenêtres » est tiré des *Poésies* de Stéphane Mallarmé (1899).
67. « La fileuse » : poème de Valéry tiré de l'*Album de vers anciens* (1920).

Elle songe, et sa tête petite s'incline.
Un arbuste et l'air pur font une source vive

Qui, suspendue au jour, délicieuse arrose
De ses pertes de fleurs le jardin de l'oisive.
Une tige, où le vent vagabond se repose,
Courbe le salut vain de sa grâce étoilée,
Dédiant magnifique, au vieux rouet, sa rose.

Mais la dormeuse file une laine isolée ;
Mystérieusement l'ombre frêle se tresse
Au fil de ses doigts longs et qui dorment, filée.
Le songe se dévide avec une paresse
Angélique, et sans cesse, au doux fuseau crédule
La chevelure ondule au gré de la caresse...
Derrière tant de fleurs, l'azur se dissimule,
Fileuse de feuillage et de lumière ceinte :
Tout le ciel vert se meurt. Le dernier arbre brûle.

Ta sœur, la grande rose où sourit une sainte,
Parfume ton front vague au vent de son haleine
Innocente, et tu crois languir... Tu es éteinte

Au bleu de la croisée où tu filais la laine.

[44]

[Montréal, décembre 1938]

Ma chère Madeleine,

Tu es gentille de compatir à mon malheur, mais tu n'auras
pas mon carnet : je l'ai déchiré. Il y avait une niaiserie que je n'ai
pu supporter. Cependant j'avoue qu'il y avait un certain charme
venant sans doute de sa gratuité, qui flottait sur toutes ces lettres
vaines, ces efforts mesquins d'originalité ; il représente pour moi
l'enfance retrouvée, si je puis dire, et une période de confiance ;
j'étais à la fin de l'année dernière premier incontesté en français
de ma classe, je l'étais avec aisance ; j'écrivais selon une libre inspiration ; on ne m'opposait pas de difficulté. Ce fut une époque

fugitive que j'ai déjà passée; la facilité m'épuisait, m'éparpillait; je suis revenu aux sévères lectures qui me précisent; je n'écris plus du tout.

Je regrette cependant un peu de ne l'avoir conservé, car plus tard que je serai un homme d'affaires riche de millions, j'aurais quelque plaisir à sourire un peu du pauvre type sentimental que j'ai été, et de frémir à la pensée que j'aurais pu continuer de l'être…

Oui, en effet j'ai cru voir mademoiselle Chérubina [68]; mais je n'étais pas sûr; je la croyais plus grande (c'est vraiment regrettable qu'elle ne soit pas tout à fait comme elle me parut sur tes photos). Je me contentai de lui sourire, mais j'étais surtout mécontent parce que j'étais fatigué.

Trois becs,

Jacques

[45]

[Montréal, février 1939]

Ma chère Madeleine,

J'aurais dû répondre plus vite à ta carte, et te dire naturellement qu'elle m'avait été un grand plaisir, mais nous étions en examens, et il me fallait travailler beaucoup et lorsque je ne travaillais pas, j'étais si las que je ne pouvais faire autre chose que lire, et que des romans. C'est une excuse raisonnable, je crois. Et j'espère que tu accepteras aujourd'hui quand même mes remerciements pour tes souhaits si intelligents, si personnels!

Ta carte me fait penser à une trouvaille mienne: je me fais imprimer actuellement des cartes moi aussi; pour te souhaiter le bonjour et le bonsoir: quel progrès pour nos relations!

Mais je suis méchant. C'est pour te taquiner. Car je sais bien que tu travailles beaucoup, et qu'une lettre brise une étude; et puis on n'en a pas le courage. Je t'avoue que moi, courageux comme tu me connais, ça me force.

---

68. Chérubina Scarpaleggia était une compagne de pensionnat de Madeleine.

[46]

[Montréal, 1939]

Ma chère Madeleine,

Le pauvre qui ne connaîtrait pas les violences que suscite l'art subtil d'agacer que nous possédons Marcelle et moi, surtout moi qui le pratique par désœuvrement avec une conviction singulièrement bête, se tromperait fort à ton écriture minutieuse et comme figée, qui ne frémit pas d'avoir écrit « mille becs » sans l'« s », qui signerait mon arrêt de mort sans sourciller. Voilà qui est grave. Ça ne le serait pas pour moi si tu parvenais à une telle écriture (je n'y parviendrai hélas pas, et tu as un spécimen de ma plus paisible écriture ; tu ne vois pas la véhémente que j'emploie les jours de tension). Ça ne serait pas grave, car on dirait : quelle magnifique écriture abstraite ! Que ce Jacques Ferron doit être conscient ! Qu'il doit avoir lu de Valéry ! Car je suis homme ; nous sommes moins naturels que vous, soit, mais combien plus intellectuels ; lorsque ces dames se mettent à faire de la littérature elles offrent ample matière à Molière. Toutes en leur couvent apprennent la musique et pas une ne sait composer. Nous qui n'approchons que rarement du piano, nous fournissons à vos exigences d'exécutrices. C'est que la musique est l'art le plus abstrait qui soit. Cette inaptitude de toutes ces parfaites pianistes à composer me les fait comparer à des fourmis ; les unes et les autres sont mécaniques et ont la taille fine. Que je suis méchant ! Mais cette démonstration prouve que tu ne peux, hélas ! aspirer à faire nommer ton écriture abstraite. On la nommera maniérée, précieuse et des méchants la diront artificielle ; tu en seras prisonnière ; toi si bonne, mais si impulsive ; lorsque tu seras fâchée et que tu voudras m'écrire des bêtises, ton écriture ne pourra pas être violente comme ton sentiment, alors tu seras aigre, acerbe ; tu seras un peu tourmentée ; tu seras comme ces personnes que la gravité, la dignité mondaine empêchent de suivre leur nature, et qui sont précieuses. Tu vas pousser de hauts cris, dire ta simplicité, ta modestie ; j'en suis parfaitement d'accord. Que veux-tu, si le développement de ma pensée aboutit à un tel contraste avec ta nature. C'est pourquoi je disais au début qu'il fallait te connaître avant de te lire, pour ne pas divaguer comme j'ai fait en graphologue, mais surtout en pauvre frère fatigué qui veut quand même remplir les pages coutumières et qui s'accroche à tout. Cependant si je veux être franc, j'avoue que tu as un peu de ce que ton écriture indique ; je me souviens d'une lettre de toi qui disait : « moi qui ne suis pas bien fine, qui suis… » etc. Voilà ton manque de naturel, lorsque tu es blessée ou fâchée, au lieu d'en trouver toutes les causes hors de toi, tu en vois en toi, je dirais par bonté. Voilà qui se subtilise et qui m'ôte ma sûreté, car à mesure que je parle de toi comme un horloger parle d'une montre, je me sens gêné, car je m'aperçois que tout le factice est en moi qui me complais à de telles divagations. Je trouve aussi bête le graphologue que je suis que le critique qui voudrait expliquer le charme d'un vers ; ça ne s'explique pas, ça se subit, et je peux parier que ton fiancé ne saura pas la couleur de tes yeux s'il est aussi intelligent que moi.

Je suis navré de ne pouvoir t'envoyer *De l'Allemagne* avant la semaine prochaine ; mes livres de la bibliothèque sont prêtés et il me faut les ravoir pour m'en procurer d'autres. J'espère que ça ne sera pas trop tard ; je choisirai le plus digeste.

Mille *révérence*, Mademoiselle.

Jacques

[47]

[Montréal, septembre 1939]

Mes chères petites,

La rentrée n'est pas sans charmes, n'est-ce pas ? Je vous imagine heureuses de rouvrir vos cahiers et d'y tracer de belles phrases bien construites, de reprendre votre fusain, de jouer du Mozart ; tout cela est charmant, et ce qui nous travaille par en dessous, cette petite angoisse qui désole sournoisement, il faut la faire taire, l'étouffer ; c'est l'affaire de deux jours ; la bonne vieille routine y est pour beaucoup dans son étouffement ; la bonne routine a aussi son charme, Marcelle.

Pour que vous soyez bien sages, je vous envoie une photo dans laquelle j'ai l'air d'un Iroquois.

Jacques

[48]

[Montréal, décembre 1939]

Chères petites,

Je vous incite fort à inviter Madeleine Rouleau [69] à faire du ski avec vous une journée des vacances qui viennent ; la route de Berthier étant ouverte, en votre compagnie, je pourrais l'aller chercher. Vous m'accommoderiez fort. Mais je vous incite surtout à ne pas vous brusquer pour moi, mais encore plus, ce qui fait bien sûr beaucoup, à ne pas prendre le malin plaisir de me désobliger.

Je vous embrasse, petites sœurs, et vous dis à bientôt ; samedi ou dimanche, papa doit venir.

Jacques

[49]

Dimanche, ce 8 septembre [1940]

À la pauvre chère Marcelle qui doit s'ennuyer dans son couvent malgré tout son esprit, je n'ai pas encore écrit, et le remords que j'en ai est grand ; « est grand » est une façon de parler, car je me demande en premier lieu si tu attends grande consolation de moi, et en second lieu, si j'en ai l'art ; mais je me dis que si maladroit je sois dans ces affaires, si novice je sois dans les drôleries et les intrigues qu'affectionnent les petites filles comme toi, mon effort te semblera attendrissant, tu en souriras avec un bon sourire et ce ne sera pas perdu. L'ennui, il me semble, ce n'est [pas] seulement d'être seule dans sa chambre, c'est d'être seule dans sa pensée, les

_____
69. Sœur de Lucille Rouleau ; voir lettre [36], reproduite p. 86.

lettres sont un recours contre ce dernier ennui, et le monde que nous nous construisons sans cesse dans notre rêve, par l'apport de cette intention que l'on a pour toi, continue son petit train.

D'ailleurs ma chère petite, je serais fâché que tu ne t'ennuies pas un peu : d'abord parce que ma lettre serait vaine, comme fut vain ce voyage de l'oncle chanoine qui venait du bout du monde pour marier sa petite nièce qui ne l'avait pas attendu ; puis, parce que c'est utile à ta personnalité. Tu as d'autres soucis que ta personnalité, c'est merveilleux ; si tu te mettais à penser à ta personnalité, tu serais détestable ; mais un vieux frère comme moi, qui ai déjà pris la pose distante et complice que je garderai sans doute toujours avec toi, un vieux frère pense à la personnalité de sa sœur, comme il pensera plus tard à ses géraniums ou aux rats blancs de sa femme si Dieu le dirige vers cette tâche.

Voilà pourquoi tu dois absolument t'ennuyer ; ce sera sérieux, mais court ; il est bon, dit je crois Fénelon dans *L'Éducation des filles* que je t'incite fort à lire, il est bon de ne pas parler aux petites filles ; il faut prévenir la grande fille qu'on découvre soudain par un rien qui éveille l'attention engourdie en la quiétude familiale, par une robe qui vieillit, par un amoureux, comme Newton comprit la gravitation universelle en voyant choir une pomme. Lorsque tu t'ennuies, tu es grave, pesante ; lorsque tu ne t'ennuies pas, légère, tout à ton esprit, évaporée. Eh bien ! il faudrait que tu t'ennuies assez pour que ta gravité te reste, et que lorsque tu t'abandonnes à la joie, de la tristesse soit oubliée dans le fond de tes yeux. Cela fait bien ; un arbre en fleur paraît toujours mieux au-dessus des eaux d'une rivière que noyé dans la verdure ; il est réfléchi, et son charme fait songer. J'ai une manière un peu fantaisiste d'être sérieux ; elle a l'avantage de ne pas prêter à conséquence. Je ferai un étrange père jésuite, imposant, mais malgré sa sainteté pouvant bien ne pas être sérieux. Mais ceci n'est pas l'important. L'important est cette adresse où je devais aller chercher les livres dont tu m'as parlé. J'aurai bientôt de tes nouvelles ? Ici tout est bien ; je suis arrivé troisième en la dissertation d'entrée, matière que j'avais coulée ; inconstance du sort. Porte-toi bien, chère petite et que les dieux favorisent ton destin.

Jacques

[50]

[Montréal, automne 1940]

Chère Madeleine[70],

Je viens de recevoir ton envoi et je remercie les dieux de m'avoir fait une sœur si diligente. Ta lettre est rococo, elle parle de mille choses et finit par le père Jasmin[71] ; elle m'enchante.

C'est maintenant que tu vois ton erreur : tu as contracté l'habitude de clamer à toute voix et d'un visage courroucé, et les récalcitrants partis, tu n'as plus de motif de pratiquer cette excellente gymnastique pulmonaire (heureusement vont venir les soupirs !) et ton affreux caractère n'a plus d'objet. Pauvre petite, je te vois devenue douce, la voix tendre et délicate, que tu es à plaindre ! Mais que fait Thérèse ? Je comptais sur elle pour éviter ce grand malheur ; je lui écris à la minute pour lui dire le danger que tu cours. À moins que tu [ne] t'achètes un chat, un chat qui miaulerait et que Chin[72] poursuivrait dans la maison. À moins que… mais tu dois avoir de l'imagination.

Figure-toi que j'ai rencontré un chien qui avait des moustaches de grenadier qui lui tombaient sous le menton ; j'étais tout étonné, et en revenant au collège, oubliant que j'étais sorti sans permission, je fus sans prudence et attrapé. Je suis dans un cruel ennui ; le préfet est un marabout qui récite sans cesse son chapelet et qui chevauche sur le règlement ; il m'a dit ce soir : « Ferron, vous viendrez me voir demain matin. » Que la nuit, la grande nuit qui nous délasse de nos pensées et nous fait tendres comme des enfants, le porte à l'indulgence. Et que le visage délicat de ma sœur chérie que je représente masculinement, il le revoie comme à notre première rencontre et que le poing levé, il se retienne soudain, gêné en croyant frapper une femme.

Somme toute je suis très inquiet et je me revois en arrière lorsque j'y pense les cheveux de cette manière que tu disais ressembler à celle du lièvre renvoyant ses oreilles importunes.

---

70. Madeleine, ayant terminé ses études au couvent de Lachine, est maintenant de retour chez son père, à Louiseville.
71. Le père Jasmin : voisin des Ferron, à Louiseville.
72. « Chin » était le nom de l'un des chiens de la famille Ferron.

À une mauvaise nouvelle correspond une bonne nouvelle ; je suis à la composition d'entrée arrivé le troisième sur cinquante. Et devine quoi ? Je te le donne sur mille : en dissertation, en la matière que j'ai coulée et reprise avec succès, comme j'ai déjà annoncé à papa. Je te dis ça, parce que tu es bonne et que tu te réjouis de ce qui est bien. Dis-le aussi à papa, ça le réconfortera car son Jacques l'inquiète un peu ; je voudrais tant lui faire plaisir, mais je ne sais pas comment. Pas nécessaire de me dire comment, je sais. La raison c'est qu'en certaines choses, je n'ai guère de volonté, je ne les fais pas avec goût, et c'est ce que papa aime. Peu importe cela : l'important c'est que je l'aime.

Tu me dis que tu comprends Lucille et tu ne m'en parles pas plus ; je ne suis guère satisfait, car j'aime, moi, Lucille pour ne pouvoir la comprendre ; il y a en elle quelque chose de fugitif, d'inquiet qui, il me semble, l'empêchera d'être si bien comprise. Et j'aime ce genre. Raconte-moi ton party ; parle-moi de tes amis, un peu, pas trop car tu vas m'ennuyer. Mais je t'avertis, j'aime les Rouleau, il faut me les ménager. Si je n'aimais pas Lucille, je crois que je me ferais moine ; ce ne serait pas tout à fait par goût ; je n'entrerais que pour la solitude. J'ai trois vocations : notaire, moine ou Turc. Que je suis embarrassé ! Je crois que je serai notaire, car être Turc, je serais avec toi gêné, car être moine, je serais gênant ; être notaire, je serai ce que je suis, un bon diable que tu devras aimer avec ses lubies, qui sera très généreux s'il a beaucoup d'argent, qui sera obligé s'il n'en a pas d'en emprunter à ton mari qui, j'y tiens, en aura beaucoup ; et qui t'aimera bien.

Jacques

[51]

[Montréal, 1940]

[À Marcelle]
Ma chère petite,

À présent que je vous ai soutiré des sous plus que j'avais lieu d'en attendre, il serait méchant de ne pas vous écrire : vous pourriez douter, pauvre petite, de la puissance de vos charmes ; vous croiriez que vos sous seuls nous intéressent ; mais loin de nous cette bassesse. Certes ils ont fait notre affaire, mais surtout ils nous ont permis d'apprécier votre gentillesse ; elle nous paraît d'autant plus grande que nous vous savons légère, fort attachée à vos amusements, ce dont nous nous gardons de vous faire reproche ; trop de gens sont tristes. Nous apprécions beaucoup les petites personnes gaies comme vous, qui savent rire de leurs ennuis, qui ne font pas attention pour se trouver un mal de tête, occasion excellente d'être marabout ; et Dieu merci ! qui savent rire des autres, qui ne tombent pas dans une fausse complaisance pour leurs sottes humeurs. Je croyais que vous ririez de moi d'être assez sot pour manquer d'argent ; c'était juste. Aussi suis-je doucement surpris de vous voir compatir, vous dont le charme est de se moquer ; vous étiez lasse sans doute...

Tout ceci est un vain développement ; c'est folie de trouver mille raisons aux actes les plus simples ; vous avez été gentille simplement, vous n'avez pas cherché de raisons, aussi je dois vous remercier simplement, avec quelque honte ; ce n'est pas très chic de faire mon plaisir aux dépens du vôtre ; aussi quand j'aurai la faiblesse de répéter ma demande, n'ayez pas la faiblesse — car votre bonté en serait une — d'y satisfaire.

Excusez ma façon précieuse de vous écrire ; mon naturel est assez lourd, je le fuis comme je le peux. Soyez toujours gaie et aimez-moi bien.

Jacques

[52]

[Montréal, automne 1940]

[À Madeleine]
Ma chère enfant,

Je regrette de n'avoir point plus tôt répondu à ta lettre ; ce n'est pas qu'il fallait beaucoup de temps pour réfuter ton argumentation sur mon inconstance que tu attribues à ce que je ne suis point formé ; au contraire elle prouve ma formation ; je suis devenu une manière d'homme universel, apte à tout, qui ne s'est pas encore spécialisé et qui le craint car il pourrait perdre sa grande liberté ; alors nécessairement il hésite devant toute profession car dans toutes il peut réussir. Quant à mon inconstance dans les livres c'est d'un autre domaine ; ça prouve du goût ; il faut aimer un livre beaucoup, puis comme il n'est pas unique dans la littérature, en choisir un autre que l'on aime au même degré ; celui qui aime tout et rien n'est qu'un snob ou un amateur d'histoire de littérature. Et puis le changement est plutôt élévation en ce domaine ; ainsi tu aimes Campagne [73] ; dans deux ans, il te paraîtra quelque peu insignifiant. Par ces changements naturels à notre âge, nous arrivons à quelques grands classiques inépuisables ; nous sommes alors des lettrés.

Je regrette d'être parti dans ces considérations, car j'eusse aimé de te parler de choses plus charmantes comme la première neige. Ce sera pour plus tard.

Un bec,

Jacques

[53]

[Montréal, décembre 1940]

Hommage à Thérèse
en l'occasion solennelle de son treizième anniversaire [74].

Nous avons une jeune sœur,
À treize ans, qui est déjà grande ;
Quel compliment et quelle offrande
Doit-on faire à de telles sœurs ?

Il y a des petites sœurs
À treize ans qui sont déjà grandes ;

---

73. Il s'agit peut-être d'un certain « colonel Campagne », auteur d'un ouvrage sur la Première Guerre mondiale : *Le chemin des croix. 1914-1918*, préface de Georges Girard, Paris, Tallandier, 1930.
74. Thérèse Ferron est née le 1er décembre 1927.

Mais leur cervelle a la grosseur
D'une toute petite amande.

On ne juge point celles-ci
À la règle de leur grandeur ;
Et de grandes poupées qui rient
Comblent leur tendre petit cœur.

Mais notre sœur est sérieuse ;
Depuis longtemps chez le coiffeur
On mène sa tête rieuse
Pour l'enfouir dans un chou-fleur.

Et devenue ainsi profonde,
Elle a des airs qui nous confondent ;
Et pour regarder de plus haut
Elle monte sur les chevaux.

Nous comprîmes sa grandeur d'âme
À ses manières élégantes ;
Elle prend, lorsqu'elle se gante
Le geste noble d'une dame.

Nous lui ferions cadeau de fleurs
De perles et de tissus de laine,
Mais nous craignons que Madeleine
Jalouse d'une égale, aux pleurs
Ne se livre ;
Nous envoyons un livre.

[54]

[Montréal, février 1941]

Ma chère Mado,

C'est très gentil à toi de me raconter tes impressions, de me décrire ton petit train de vie, de me demander de t'écrire ; ça montre que tu es contente de moi, que rassurée, tu peux me parler simplement, et ceci me fait bien plaisir. Quand on était ensemble, nous ne voyions que ce qui pouvait nous séparer, à présent que nous le sommes, par un juste retour, nous cherchons à nous rapprocher, car il faut un certain éloignement pour bien juger. Et d'autre part, le désœuvrement me donnait à la maison un bien mauvais caractère, contre lequel, petite personne juste, tu t'opposais. Quoi qu'il en soit, je fais bien ici ; j'ai un certain talent et je travaille beaucoup pour me maintenir au niveau où il me hausse. Ce n'est pas quatrième que je suis arrivé à la dernière composition, mais premier — je viens de recevoir la liste — un des quatre ou cinq premiers des quatre-vingt-dix-sept que nous sommes. Je suis content de faire plaisir à papa, c'est tellement plus dans mon caractère. Comme je commence une semaine de dissipation — j'irai au cinéma ce soir, et demain aux ballets[75] avec Alberte Décary (ne le dis pas à Lucille), je ne t'en écrirai pas plus long. Quand tu m'auras envoyé des timbres, tu recevras d'autres livres.

Bonjour à papa, mille bonjours à Thérèse par papa, je l'aime bien Thérèse, et à toi que j'aime bien aussi, un bec sur le nez.

Jacques

[55]

[Montréal, février 1941]

[À Marcelle]
Ma chère petite,

Quelle douce surprise qu'une lettre de toi écrite fermement et sans une rature, comme aspirant à la perfection de celle de Madeleine, et qui ne se gêne pas de rire du grand frère, ni même de lui donner le grave conseil de terminer son cours classique, conseil auquel il ne saura résister ! Non sans un secret regret des anciennes lettres bleues avec leurs grands carreaux, sur lesquelles tu écrivais en grande véhémence, remplissant quatre pages avec

---

75. Cette soirée au ballet, qui lui avait été expressément interdite par les autorités, sera la cause directe du second renvoi de Jacques Ferron du Collège Jean-de-Brébeuf. Sur les circonstances entourant cette incartade, voir *Le fils du notaire*, p. 234-236 et *Papiers intimes*, p. 205-207.

trois faits divers et avec l'attention soutenue de ne pas serrer ton écriture ; tu étais ridicule avec beaucoup de charme. Mais te voici sage et remplie de modération ; tu réduis à trois lignes la glose sur l'ennui des après-midi de congé, au lieu qu'il t'en fallait quinze dans ta dernière lettre et la décision de te jeter au canal. Tu es donc sauvée « du temps où l'on ne sait plus ce que l'on veut » ; tu sauras harnacher les circonstances à ton bonheur, sans chercher de midi à quatorze heures comme je semble faire ; comme je dis, car me voici très sage comme toi, et décidé de tirer mon bonheur de la philosophie et du notariat auxquels me lie le désir de papa, et qui me donnent le plus de chances de réussir. J'avoue que je ne sais pas trop quoi faire ; je n'ai pas précisément ce qu'on appelle une vocation, mais je suis convaincu que je serai un bon notaire ; je vais jusqu'à promettre d'avoir par semaine deux heures de plus de bureau que monsieur Vanasse[76].

Laissons ces choses sur lesquelles je n'ai aucune idée comme il paraît ; qu'est-ce qui t'a pris de m'en parler aussi ? Ma lettre à papa[77] ? Comme si elle était sérieuse ! Mais il fallait que je remplisse mes quatre pages. Ne va pas te figurer que j'ai écrit des choses auxquelles je tiens jusqu'à ce moment. Voilà précisément en quoi réside ma facilité épistolaire, d'être assez bête pour dire n'importe quoi. Je chevauche de ce temps sur des idées concernant l'art dramatique, je prépare de la géométrie, je prépare mes examens quoi ! Alors je suis assez ahuri lorsqu'il faut écrire. Pour répondre à une lettre correctement, il faut la relire tous les jours durant une semaine… Mais je m'arrête ; je suis capable de finir ma lettre sans changer d'idée.

Je vous trouve bien heureuses dans votre couvent dont l'on vous ouvre si généreusement les portes pour que vous alliez vers les belles fleurs, et où, les concours passés, on s'ingénie à vous

---

76. Paul Vanasse : avocat à Louiseville et rédacteur à *L'Écho de Saint-Justin*. Ferron en parle brièvement dans une lettre à John Grube. Voir Jacques Ferron, *Une amitié bien particulière. Lettres de Jacques Ferron à John Grube*, Montréal, Boréal, 1990, p. 189-191. Voir aussi *Papiers intimes*, p. 293-294.

77. Allusion probable à une lettre que Ferron avait envoyée à son père, quelques jours plus tôt, et dans laquelle il lui annonçait son désir d'abandonner ses études. Voir *Papiers intimes*, p. 205-207.

rendre agréables les classes ; vos activités concordent avec celles de la saison ; ici nous sommes plongés dans les examens, quelle hypocrisie ! Nous faisons de la géométrie, des préceptes… Mais tout cela est hivernal ; au printemps l'arbitraire s'effondre… etc. (Quelle panoplie !)

Profite bien de ce temps idéal, et ne t'imagine pas pouvoir le prolonger, ni le compléter quand tu auras la liberté des vacances ; la liberté est néfaste. Ce n'est qu'à mon âge qu'on peut parvenir à une discipline intérieure qui nous permette de remplacer celle du pensionnat et de revivre ces beaux jours que tu me laisses entrevoir et que j'ai bien connus.

Je te donne toutes mes plantes si je ne les ai pas déjà données à Madeleine ; il me fera grandement plaisir de t'aider ; tu aurais dû me confier ton projet car si tu le gardes trop longtemps il finira par t'ennuyer. Ce serait mal. Figure-toi que mes six premiers examens sont coulés ; tu es satisfaite ?

Trois becs,

Jacques

À l'Université Laval
1941-1945

Expulsé du Collège Jean-de-Brébeuf une deuxième fois, en février 1941, Jacques Ferron doit terminer son cours classique au Collège de l'Assomption. En septembre de la même année, il s'inscrit à l'Université Laval; ses études de médecine seront terminées en juillet 1945.

[56]

Québec, le 13 décembre 1941

Le compliment de Jacques à Thérèse
à l'occasion de son quatorzième anniversaire de naissance.

Ô princesse qui naquîtes
Voici plus de quatorze ans,
Et dans leurs cours qui n'acquîtes
Que des charmes plus puissants,
En pareille circonstance
    Comment
Résisterais-je aux instances
    D'un compliment?

L'âge cruel qu'on redoute
Pour vous seule s'adoucit;
Et de ses vieilles mains toutes
Tremblantes, il a ravi

Leurs attraits aux plus belles
Afin de vous les donner.
Et la hâte de son zèle
Fut telle qu'à votre nez,
Il incrusta les narines
Battantes d'une lapine!

Ici commence la triste histoire de cette lapine privée d'un charme nécessaire aux lapines et superflu aux petites filles, ce frémissement de narines qui dit aux lapins leur émotion, un peu comme une rougeur des petites filles dit leur émoi ; les lapins, d'un commun accord, déclarèrent sa froideur et d'un commun accord, l'abandonnèrent ; elle était pourtant une lapine sensible. Grande fut sa tristesse ; on la voyait se promener seule, avec gravité, parfois s'arrêter, prendre une bouchée d'herbes, mais sans l'appétit ordinaire, avec l'air des princesses quand elles mangent du ragoût. Cette solitude, cette gravité lui donnèrent une philosophie ; elle se dit : « Pour reprendre mes chères narines, il faudrait que je sois carnivore et que la méchante qui les a soit plus petite que moi ; cela n'est pas. » Alors elle décida de se faire manger. « Au moins, dans cette femme je serai plus près de mes narines, je nourrirai mes narines, mes chères narines ; et peut-être que le ciel voudra que peu à peu, cette méchante femme se transforme en lapine ; alors je me sauverai vers les lapins avec mes narines battantes. » Elle dit et vint chez le boucher ; on la tua et on la mit dans le réfrigérateur. Elle y est encore et le premier lapin que tu mangeras, ce sera elle. Et il se peut bien qu'après, les oreilles t'allongent et que tu deviennes un gentil lapin.

[57]

[Québec, 1942]

Ma chère Mado,

C'est un frère ému qui t'écrit, mais les soucis m'obligent à être bref et de m'arrêter avant les épanchements suprêmes. Mon émotion ce sont mes gants et c'est l'émotion de Marcelle aussi qui, remplie de sympathie pour un sympathique petit étudiant, lequel étudiant n'ayant pas de gants a l'air bien misérable, a décidé que le cher petit en profiterait. Elle te demande si par hasard tu n'aurais pas un cache-oreilles, car le cher petit les a fort longues et par conséquent fort exposées au froid. La chose a son avantage car la petite Marcelle peut le conduire par le bout des oreilles.

Bonjour à papa,
Bonjour Mado,

Jacques

P.-S. — Si j'insiste autant sur Marcelle, c'est qu'elle est près de moi : sans cela[78]...

[58]

[Québec, 1942]

[À Madeleine]
Ma chère enfant,

La médecine me vieillit extrêmement ; je parle au monde profane avec condescendance, car je ne puis regarder une personne sans penser qu'elle ne forme qu'un amas d'os semblable à celui que j'ai dans une valise que j'ouvre parfois pour faire des croquis, et non pour réfléchir sur la misère humaine. J'ai fui devant les punaises[79], un plus brave aurait fui ; mais j'ai fui comme un paresseux, ne m'éloignant guère. Je suis encore sur Sainte-Anne, au numéro 109. J'ai une plus jolie chambre, de la tranquillité ; mes voisins seront des voisines, d'aimables vieilles filles anglaises ; elles me laissent l'âme pure. Que c'est bon de dormir dans un lit où il n'y a pas de punaises !

Je n'irai pas demeurer sur la rue Saint-Cyrille : c'est un trajet trop long pour qu'on le fasse trois fois par jour ; c'est dommage, car j'ai trouvé la vieille Écossaise bien sympathique.

---

78. Marcelle Ferron étudia à l'École des beaux-arts de Québec en 1941-1942.
79. Sur l'épisode des punaises, voir *Papiers intimes*, p. 210-211.

Tu es distraite : je te demande un manuel de chimie et de sciences naturelles, tu m'envoies la physique. Est-ce parce que je demeure à Québec, près de Robert[80], [que] je te trouble ? Quoi qu'il en soit, remets à papa ces reçus : $25. (deux livres d'anatomie). L'autre cinq dollars passe en livres moins considérables pour lesquels on ne donne pas de reçus.

Mes hommages,

Jacques

[59]

[Québec, janvier 1943]

Ma chère petite Marcelle,

Je pensais que tu m'avais oublié, alors je t'oubliais avec d'autant plus de facilité que j'avais beaucoup à faire. Je me disais : « elle est complètement évaporée, le mieux à faire, c'est de la laisser se rasseoir avec l'âge. » Je suis peiné d'avoir ainsi pensé, car j'ai reçu ta double lettre, tes bons souhaits, le tableau en cours, et aucun reproche sur mon silence ; ce qui, en somme, compose le meilleur reproche.

Je ne peux pas te faire de cadeau, pour la bonne raison que ta fête est à la fin du mois ; à mon sens, tu as commis là ta première maladresse. Et quand on com[mence] sa petite existence avec une maladresse, on a coutume de la continuer ainsi ; ce n'est pas un reproche, car d'une part, il n'y a rien d'aussi amusant que ces supposées maladresses et d'autre part, c'est une suprême habileté de cacher son habileté derrière de volontaires maladresses. Je te souhaite de continuer dans ton art qui, en plus de cela, met si bien en valeur ton rire qui te fait pardonner ton nez.

Delorimier[81] est un garçon brillant, un peu évaporé ; je ne vois pas ce qu'il a pu te raconter sur moi ; en plus, un peu blagueur.

---

80. Robert Cliche, alors étudiant en droit, qui épousera Madeleine Ferron en 1945.
81. L'étudiant en question se nommait Jean-Louis Delorimier ; voir la lettre de Marcelle Ferron à Jacques Ferron (18 janvier 1942) qui se trouve dans le Fonds Madeleine-Ferron de la Bibliothèque nationale (467/006/005).

Jacques Lavigne ne doit pas détester qu'on se moque de lui ; derrière toutes ses phrases et sa philosophie, il y a le petit garçon timide qui a du respect pour l'esprit naturel ; il a l'art de ménager les choux, mais il apprécie ceux qui n'ont aucun souci des choux. Si sérieux soit-il, il vaut bien ne pas le prendre au sérieux…

En somme, je trouve qu'il est beaucoup mieux que tu sortes avec des garçons comme lui qu'avec de petits insignifiants.

Je t'envoie l'*Amérique française* où j'ai écrit [82].

Jacques

[60]

[Québec, mars 1944]

[À Thérèse]
Mon cher petit chamois,

Les télépathes ne peuvent pas correspondre avec les êtres qui leur sont chers à dates et à heures fixes. Il faut qu'ils attendent un état d'âme spécial, propre à telle ou telle amie. Par exemple, pour correspondre avec une blonde, il est nécessaire que le matin, ils aient déjeuné de trois jaunes d'œufs, le midi, qu'ils aient vu en rêve trois grands veaux jaunes courir dans un champ d'avoine mûre, leur mère, une vache jaune, les rejoindre, les arrêter, les faire boire à sa mamelle dont le quatrième pis pend lamentablement, veuf du quatrième veau jaune qui n'existe pas. Lorsque ces premières conditions sont réalisées, il est nécessaire que, le soir venu, ils soient nonchalants, que leurs yeux soient vagues ; alors, à ce moment précis, ils peuvent rejoindre la blonde amie, même si elle est à San Francisco et en déshabillé. Pour rejoindre une autre amie, une amie noire, les conditions sont différentes et l'état d'âme requis, autre.

Bref, mon cher petit chamois, je n'ai pas pu correspondre avec toi par télépathie parce que l'ami Moreau s'est présenté à la

---

82. Il s'agit probablement du numéro de février 1942 (1 : 3), dans lequel Ferron venait de faire paraître un texte intitulé « Récit » (p. 18-21).

présidence de la faculté de droit, parce que j'ai bu de la bière, que j'ai discuté, que je me suis fâché ; ensuite parce que j'ai écrit dans *Le Carabin* des choses qui ont déplu aux autorités [83], lesquelles autorités m'ont fait trembler : j'ai peur des autorités, parce que je ne leur plais pas, parce qu'elles m'ont toujours considéré comme une mauvaise tête…

Mon état d'âme ne correspondait pas du tout à la paisible retraite qui te baigne, qui te lave et te fait douce, soumise et rêveuse. Or, mon petit, j'ai pour principe de ne jamais écrire à personne avant que mon état d'âme ne corresponde au sien : comment oser avoir une correspondance matérielle avec un être si l'on n'a pas eu, auparavant, une correspondance spirituelle avec lui ?

Depuis une heure et demie, je suis enfin dans un état que je m'imagine correspondre au tien : de soumission et de douceur. La correspondance est établie, l'espace se plie comme un grand accordéon et me voici dans le couvent où chamois est couventine [84]. Elle ne me voit pas, elle ne me devine même pas et avant qu'elle ne soit revenue de sa surprise et se soit composé une attitude, je lui ai dit

Bonsoir.

Jacques

---

83. Il s'agit peut-être de l'article intitulé « L'Éternelle duplicité » (*Le Carabin*, III : 10, 1er mars 1944, p. 10). Ferron s'y moque des pères qui, au collège, l'obligeaient, dit-il, à lire *Le Devoir* : « On nous fit donc anticléricaux et voltairiens parce que nous n'étions pas d'accord avec les religieux qui donnaient avec une insouciance difficile à justifier, le prestige de leur autorité à un journal contestable ; naïfs, nous l'avons cru, et si nous n'avions pas cessé de prendre au sérieux les jugements téméraires, nous le serions encore. »
84. Thérèse Ferron, à cette époque, était pensionnaire dans un couvent de Saint-Hyacinthe.

Œuvres de Jacques Ferron*

L'Ogre, Cahiers de la File indienne, 1949.

La barbe de François Hertel suivi de *Le licou*, Éditions d'Orphée, [1951].

Le dodu ou Le prix du bonheur, Éditions d'Orphée, 1956.

Tante Élise ou Le prix de l'amour, Éditions d'Orphée, 1956.

Le cheval de Don Juan, Éditions d'Orphée, 1957.

Les grands soleils, Éditions d'Orphée, 1958.

Contes du pays incertain, Éditions d'Orphée, 1962.

Cotnoir, Éditions d'Orphée, 1962.

La tête du roi, Association générale des étudiants de l'Université de Montréal, 1963.

Cazou ou Le prix de la virginité, Éditions d'Orphée, 1963.

Contes anglais et autres, Éditions d'Orphée, 1964.

La sortie, dans *Écrits du Canada français*, n° 19, 1965.

La nuit, Éditions Parti pris, 1965.

Papa Boss, Éditions Parti pris, 1966.

Contes, édition intégrale, *Contes anglais*, *Contes du pays incertain*, *Contes inédits*, Éditions HMH, 1968.

La charrette, Éditions HMH, 1968.

Théâtre 1. Les grands soleils, *Tante Élise*, *Le Don Juan chrétien*, Déom, 1968.

---

* Nous ne donnons que la date de la première édition ; pour une bibliographie complète, on se reportera aux ouvrages de Pierre Cantin (*Jacques Ferron, polygraphe*, Montréal, Bellarmin, 1984) et de Patrick Poirier («Sur Ferron et son œuvre», dans *L'autre Ferron*, sous la direction de Ginette Michaud, avec la collaboration de Patrick Poirier, Montréal, Fides-CÉTUQ, «Nouvelles Études québécoises», 1995, p. 439-461). À moins d'indication contraire le lieu d'édition est Montréal.

Le cœur d'une mère, dans *Écrits du Canada français*, nᵒ 25, 1969.

Historiettes, Éditions du Jour, 1969.

Le ciel de Québec, Éditions du Jour, 1969.

L'Amélanchier, Éditions du Jour, 1970.

Le salut de l'Irlande, Éditions du Jour, 1970.

Les roses sauvages, Éditions du Jour, 1971.

La chaise du maréchal ferrant, Éditions du Jour, 1972.

Le Saint-Élias, Éditions du Jour, 1972.

Les confitures de coings et autres textes, Éditions Parti pris, 1972.

Du fond de mon arrière-cuisine, Éditions du Jour, 1973.

Théâtre 2. Le dodu ou Le prix du bonheur, La mort de monsieur Borduas, Le permis de dramaturge, La tête du roi, L'impromptu des deux chiens, Déom, 1975.

Escarmouches. La longue passe, 2 tomes, Leméac, 1975.

Gaspé-Mattempa, Trois-Rivières, Éditions du Bien public, 1980.

Rosaire précédé de *L'Exécution de Maski*, VLB éditeur, 1981.

Le choix de Jacques Ferron dans l'œuvre de Jacques Ferron, Québec, les Presses laurentiennes, 1985.

Les lettres aux journaux, VLB éditeur, 1985.

La conférence inachevée, Le pas de Gamelin et autres récits, VLB éditeur, 1987.

Le désarroi. Correspondance, VLB éditeur, 1988 [en collaboration avec Julien Bigras].

Une amitié bien particulière. Lettres de Jacques Ferron à John Grube, Boréal, 1990.

Le contentieux de l'Acadie, VLB éditeur, 1991.

Les pièces radiophoniques. J'ai déserté Saint-Jean-de-Dieu, Les cartes de crédit, Les yeux, La ligue des bienfaiteurs de l'humanité, Hull, Éditions Vent d'ouest, 1993.

Ferron inédit. Maski, Turcot, fils d'Homère, La berline et les trois grimoires, Correspondance de Jacques Ferron et Clément Marchand, Lettres de Jacques Ferron à Ray Ellenwood, Entretiens avec Jacques Ferron, dans *L'autre Ferron*, sous la direction de Ginette Michaud, avec la collaboration de Patrick Poirier, Fides-CÉTUQ, «Nouvelles Études québécoises», 1995.

Papiers intimes. Fragments d'un roman familial : lettres, historiettes et autres textes, édition préparée et commentée par Ginette

Michaud et Patrick Poirier, Outremont, Lanctôt éditeur, «Cahiers Jacques-Ferron», n°s 1-2, 1997.

Chronologie*

1921   Naissance à Louiseville, le 20 janvier. Fils aîné de Joseph-Alphonse Ferron et d'Adrienne Caron.

1926-1931 Études primaires à l'Académie Saint-Louis-de-Gonzague (Louiseville).

1931   5 mars : décès de sa mère. À partir de septembre, il poursuit ses études primaires au Jardin de l'Enfance de Trois-Rivières.

1933-1936 Études classiques au Collège Jean-de-Brébeuf (Montréal); il est renvoyé en 1936.

1936-1937 Il termine son année de Versification au Collège de Saint-Laurent.

1937-1941 Réadmis au Collège Jean-de-Brébeuf, il en sera de nouveau expulsé en 1941.

1941   Février-juin : il termine ses études classiques au Collège de l'Assomption.

           Septembre : il entreprend des études de médecine à l'Université Laval (Québec).

1943   22 juillet : il épouse une étudiante en droit, Magdeleine Thérien.

1945-1946 Reçu médecin, il doit pratiquer pendant une année dans l'armée canadienne. Après quelques semaines d'entraînement en Colombie-Britannique et en Ontario, il est affecté au Québec, puis au Nouveau-Brunswick.

---

* Pour les dates de parution des ouvrages, se reporter ci-haut à la liste des œuvres de Jacques Ferron.

1946   Démobilisé, il s'installe à Rivière-Madeleine, en Gaspésie.

1947   5 mars : décès de son père.

1948   Il revient à Montréal et ouvre un cabinet de consultation dans le quartier Rosemont.

1949   Il rompt avec sa première épouse et s'installe sur la rive sud de Montréal, à Ville Jacques-Cartier (Longueuil). Parution de son premier livre ; il s'agit de la pièce *L'Ogre*.

1951   Première publication d'un article dans *L'Information médicale et paramédicale* ; cette collaboration régulière durera une trentaine d'années.

1952   28 juin : il épouse Madeleine Lavallée.

1954   Membre de la direction du Congrès canadien pour la paix.

1958   31 mars : candidat défait du Parti social-démocrate (futur NPD) aux élections fédérales.

1959   Participe à la mise sur pied de la revue *Situations*.

1960   Après avoir quitté le PSD, il fonde, avec Raoul Roy, l'Action socialiste pour l'indépendance du Québec.

1962   Il reçoit le prix du Gouverneur général pour ses *Contes du pays incertain*, parus la même année.

1963   Avec des membres de sa famille, il fonde le Parti Rhinocéros. Début de sa collaboration à la revue *Parti pris*.

1966   5 juin : candidat défait du Rassemblement pour l'indépendance nationale aux élections provinciales. Durant un an, il travaille, comme médecin, à l'hôpital psychiatrique Mont-Providence (aujourd'hui Rivière-des-Prairies).

Septembre : délégué de *L'Information médicale et paramédicale* à un congrès de la *National Conference on Mental Retardation* tenu à Moncton.

1969   Il devient membre du Parti québécois.

1970   Il est médecin, durant un an, à l'hôpital psychiatrique Saint-Jean-de-Dieu (aujourd'hui Louis-Hippolyte-Lafontaine).

	28 décembre : il agit comme médiateur à l'occasion de l'arrestation des felquistes Paul Rose, Jacques Rose et Francis Simard.
1972	10 mai : il remporte le prix France-Québec pour son roman *Les roses sauvages*.
	30 octobre : candidat défait du Parti Rhinocéros aux élections fédérales.
	23 novembre : la Société Saint-Jean-Baptiste de Montréal lui décerne le prix Duvernay.
1973	Octobre : séjour à Varsovie (Pologne) ; il assiste à un congrès de l'Union mondiale des écrivains médecins.
1974	8 juillet : candidat défait du Parti Rhinocéros aux élections fédérales.
1977	19 décembre : le Gouvernement du Québec lui décerne le prix David.
1979	22 mai : candidat défait du Parti Rhinocéros aux élections fédérales.
1980	18 février : candidat défait du Parti Rhinocéros aux élections fédérales.
	11 mai : membre d'un Regroupement des écrivains en faveur du OUI au Référendum.
1981	Il est nommé membre d'honneur de l'Union des écrivains québécois.
1985	22 avril : décès de Jacques Ferron à sa résidence de Saint-Lambert.

Table

CET OUVRAGE
COMPOSÉ EN ADOBE GARAMOND CORPS 12 SUR 14
A ÉTÉ ACHEVÉ D'IMPRIMER
LE TRENTE DÉCEMBRE MIL NEUF CENT QUATRE-VINGT-DIX-HUIT
PAR LES TRAVAILLEURS ET TRAVAILLEUSES DES PRESSES
DE VEILLEUX IMPRESSION À DEMANDE
À BOUCHERVILLE
POUR LE COMPTE DE
LANCTÔT ÉDITEUR.

IMPRIMÉ AU QUÉBEC (CANADA)